BEETHOVEN · BRIEFWECHSEL MIT SCHOTT

Lithographie nach einer Zeichnung von Stefan Decker 1824

LUDWIG VAN BEETHOVEN

DER BRIEFWECHSEL
MIT DEM VERLAG SCHOTT

HERAUSGEGEBEN
VOM
BEETHOVEN-HAUS BONN

G. HENLE VERLAG MÜNCHEN

Herausgebergremium:

Sieghard Brandenburg, Bonn
Martin Staehelin, Göttingen

Günter Brosche, Wien
Lewis Lockwood, Cambridge, Mass.
Maynard Solomon, New York
Alan Tyson, Oxford/London

Wissenschaftliche Mitarbeiterinnen:

Martella Gutiérrez-Denhoff, Bonn
Dagmar Beck, Berlin
Grita Herre, Berlin

INHALT

VORWORT

I

Eine umfassende, modernen wissenschaftlichen Anforderungen genügende deutsche Ausgabe von Beethovens Briefen ist ein bekanntes, lang gehegtes Desideratum der Beethovenforschung. In vielen ihrer Bereiche, in der Skizzenforschung, in Werkeditionen und Werkmonographien, in der Biographik ohnehin sieht diese sich durch das Fehlen zuverlässiger Brieftexte und fast mehr noch durch das Fehlen fundierter Kommentare erheblich behindert. Der Rückgriff auf die Originalhandschriften, die Prüfung der Chronologie und die Klärung inhaltlicher Probleme stellen eine Hürde dar, die nicht leicht zu nehmen ist. Sie erfordert die Verfügbarkeit eines umfangreichen Quellenapparats, den ein einzelner heute kaum noch aufbauen kann.

Obwohl das Unbefriedigende dieser Situation längst empfunden wurde, ist doch in den letzten Jahrzehnten wenig Abhilfe geschaffen worden. Moderne Editionen von Beethovenbriefen beschränkten sich im wesentlichen auf die Mitteilung einzelner neuaufgefundener Quellen. Sie können, so verdienstvoll sie im übrigen sind, eine neue wissenschaftlich-kritische Gesamtausgabe natürlich nicht ersetzen. Auch die vorliegende Publikation, der Briefwechsel Beethovens mit dem Musikverlag Schott, vermag dies nicht. Sie stellt lediglich einen kleinen Ausschnitt aus der erhaltenen Korrespondenz des Komponisten dar. Im Unterschied zu anderen Briefeditionen neuerer Zeit, in denen oft Dokumente sehr verschiedener Art ohne inneren Zusammenhang vereinigt wurden, weist sie sich aber durch eine verhältnismäßig hohe inhaltliche Geschlossenheit aus. Sie kann für den Bereich, den sie abdeckt, sicherlich als Quellenfundament weiterer Forschung dienen.

Die Herausgeber verfolgen mit der Vorlage des Briefwechsels Beethoven-Schott freilich noch ein weiteres Ziel. Sie beabsichtigen, an einem kleineren, überschaubaren Objekt jene Editionsprinzipien darzulegen und zur Diskussion zu stellen, welche der kürzlich begonnenen neuen Briefgesamtausgabe des Beethoven-Hauses zugrundegelegt werden sollen. Die Auswahl gerade dieses Briefwechsels für eine Art Probeedition empfahl sich aus mehreren Gründen. Er umfaßt eine große Mannigfaltigkeit von Dokumenten unterschiedlichen Charakters, Entwürfe, eigenhändige datierte und undatierte Briefe, Diktate oder im Auftrag erstellte Briefe, Korrekturverzeichnisse, Empfängervermerke, Antwort- und Drittbriefe, Quittungen und Eigentumsbescheinigungen, welche eine Fülle von editorischen Problemen aufwerfen und zu Entscheidungen zwingen. Zudem besitzt der Briefwechsel mit Schott aber auch einen eigenen biographischen und werkgeschichtlichen Rang, der eine separate Veröffentlichung durchaus rechtfertigt.

II

Beethoven hat einen bedeutenden Teil seines Spätwerks dem Musikverlag Schott zur Veröffentlichung anvertraut: die Missa solemnis op. 123, die Neunte Symphonie op. 125, die Ouvertüre „Die Weihe,des Hauses" op. 124, die Streichquartette op. 127 und op. 131, die Bagatellen op. 126 und andere kleinere Werke wie das Opferlied op. 121b, das Bundeslied op. 122, die Ariette „Der Kuß" op. 128 und schließlich die Kanons WoO 180 und WoO 187. Die Übernahme dieser Kompositionen bezeichnet für das expandierende Mainzer Unternehmen, dessen Leitung nach dem Tode des Gründers Bernhard Schott (1748−1809) die Söhne Johann Andreas (1781−1840), Johann Joseph (1782−1855) und Adam Joseph (1794−1840) innehatten, einen Höhepunkt seiner Geschichte. Bisher vorwiegend auf zweitrangige Werke lokaler Komponisten und auf den Nachdruck populärer Erfolgsstücke beschränkt, konnte der Verlag nun mit dem „culminirenden Prachtstern" des musikalischen Kunsthimmels renommieren[1]. Wohl hatte es schon in früherer Zeit Kontakte gegeben. Bereits 1791 veröffentlichte Schott die Variationen über Righinis Ariette „Venni amore" WoO 65[2]. Doch damals war Beethoven ein unbekannter kurkölnischer Organist, dem man nicht einmal zutraute, das eigene Werk spielen zu können, und so wurden die Variationen schon bald wieder aus dem Programm genommen. Für Beethoven waren nach seiner Übersiedlung Ende 1792 hinfort die Verlage in Wien zuständig, Artaria, Traeg, Hoffmeister, Eder, Mollo, Cappi und das Bureau des arts et d'industrie. Erst nachdem er sich einen Namen gemacht hatte, begannen auch die großen auswärtigen Verlage sich für ihn zu interessieren, sei es, indem sie seine Werke unerlaubt nachdruckten, oder sei es, indem sie die Verlagsrechte regulär von ihm erwarben. Die Firma Schott blieb jedoch weiterhin im Hintergrund. Die zahlreichen Beethovenschen Kompositionen in ihrem späteren Programm waren zum größten Teil von Carl Zulehner übernommene Nachdrucke, gegen die sich der Komponist öffentlich verwahrt hatte und denen er alle Qualität absprach[3].

Der neuerliche Kontakt mit Schott kam Anfang 1824 durch eine Art Rundschreiben zustande, in dem die Redaktion der neugegründeten Verlagszeitschrift „Cäcilia" prominente Musiker und Schriftsteller zu Beiträgen aufforderte[4]. Auch Beethoven hatte einen solchen Brief erhalten, und offenbar hatte man ihn darin nicht nur zur Teilnahme an der „Cäcilia", sondern auch um Werke für den Verlag gebeten[5]. Die Anfrage kam in einem günstigen Augenblick. Beethoven hatte soeben zwei monumentale Werke, die Missa solemnis und die Neunte Symphonie, vollendet und suchte nach einem geeigneten Verleger. Auch eine Reihe von kleineren Kompositionen, die er seinem Bruder Johann abgetreten hatte[6], mußte untergebracht werden. Mit seinen früheren Partnern hatte er sich überworfen. Breitkopf & Härtel hatten sich längst zurückgezogen, ebenso Simrock, der sich durch Beethovens Verhalten bei der Verhandlung der Missa solemnis hintergangen fühlte[7]. Mit Steiner und Haslinger lag Beethoven wegen deren Schuldforderungen in offener Fehde, und die übrigen Wiener Verlage, Cappi & Diabelli, Leidesdorf, Artaria, erschienen ihm vermutlich zu unbedeutend, um ihnen Werke dieses Ranges anzuvertrauen. Auch sein Verhältnis zu den beiden Schlesinger in Berlin und Paris, denen er die letzten drei Klaviersonaten überlassen hatte, war nicht ungetrübt. C.F. Peters schließlich hatte ihm die Schmach angetan, einige bereits gekaufte ältere Werke als unzulänglich zurückzuweisen[8]. So mußte Beethoven eine Verbindung mit Schott, die noch völlig unbelastet war, sicherlich willkommen sein.

Johann Joseph Schott, der führende Kopf des Unternehmens, verstand es schnell, Beethovens Vertrauen zu gewinnen. Er besaß genügend Takt und Ausdauer in der Verfolgung seines Zieles, und er ließ sich keine Ungeduld anmerken, als sich die Ablieferung der Stichvorlagen verzögerte. Seine rechtschaffenen, biederen, etwas förmlichen Briefe trafen offenbar den rechten Ton. Die ersten verwenden die ehrerbietige Anrede „Euer Wohlgeborn, Herr Kapellmeister", die Beethoven gewiß angenehm in den Ohren geklungen hat, hatte er doch diesen Titel so lange vergeblich angestrebt. Auch er schreibt zunächst recht förmlich. Doch während Schott in einem eher trockenen Kontordeutsch verharrt, gewinnen Beethovens Antworten bald an Vertraulichkeit. Es werden Meinungen, Scherze und Spöttereien mitgeteilt, die in einer normalen Geschäftskorrespondenz kaum Platz haben. Schott macht davon reichlich Gebrauch, indem er Auszüge und Faksimiles aus Beethovens Briefen in der „Cäcilia" veröffentlicht. Doch das gute Verhältnis bleibt nicht ungetrübt: Der Verlag wird von dem Argwohn geplagt,

[1] Gottfried Weber, *Blicke auf die neuesten Erscheinungen in der musikalischen Literatur*, Cäcilia 4 (1824), S. 372—74.
[2] Vgl. Sieghard Brandenburg und Martin Staehelin, *Die „erste Fassung" von Beethovens Righini-Variationen*, Festschrift Albi Rosenthal zum 70. Geburtstag, Tutzing 1985, S. 43—66.
[3] Vgl. TDR II S. 407; die hier verwendeten Literaturkürzel sind im Literaturverzeichnis am Ende des vorliegenden Bandes aufgelöst.
[4] Vgl. die „Einführung" der Redaktion, Cäcilia 1 (1824), S. 6.
[5] Vgl. Brief Nr. 2.
[6] Vgl. Brief Nr. 15.
[7] Vgl. Maynard Solomon, *Beethoven*, New York 1977, S. 271f.
[8] Sieghard Brandenburg, *Ludwig van Beethoven. Sechs Bagatellen für Klavier op. 126*, Bonn 1984, Teil 2, S. 45—48.

Beethoven könne die Missa solemnis unter Verletzung des ihm gewährten ausschließlichen Verlagsrechts noch anderenorts angeboten[9] oder das Streichquartett op. 127 gar ein zweites Mal verkauft haben[10]. Das Erscheinen des unbefugten Klavierauszuges der Ouvertüre op. 124 bei Trautwein in Berlin noch vor der Originalausgabe von Schott[11] weckt ein Mißtrauen, das trotz aller Beteuerungen Beethovens nicht beseitigt wird.

Seinerseits ist Beethoven nicht nur durch den Zweifel an seiner Vertragstreue verletzt. Ihn verstimmt auch, daß Schott die in unbedachtem Überschwang mitgeteilte „Romantische Lebensbeschreibung des Tobias Haslinger" ungefragt und unter voller Namensnennung im Sommer 1825 in der „Cäcilia" veröffentlicht[12]. Obwohl Beethoven die Sache an sich nicht so schwer nimmt und eine heimliche Freude nicht verbergen kann, sieht er sich doch so kompromittiert, daß er eine Berichtigung verlangt. Er verfaßt dazu eigens einen „Aufsatz", den er Haslinger zur Besänftigung vorlegt[13]. Doch Schott und der Redakteur der „Cäcilia" Gottfried Weber lehnen den Abdruck ab[14]. Als Konsequenz wendet sich Beethoven anderen Verlegern zu. Moritz Schlesinger erhält das a-moll-Quartett op. 132, Mathias Artaria das B-Dur-Quartett op. 130. Erst nachdem 1826 das Eis geschmolzen ist und der Komponist nur noch im Scherz mit einem „Gerichtstag in Schwarzspanien" droht, gelingt es Schott, das tiefgründige, große cis-moll-Quartett op. 131 zu erwerben. Doch er begeht den unverzeihlichen Fehler zu fragen, ob das Quartett, das er freilich noch nicht in Händen hatte, ein Originalwerk und neu sei. Sarkastisch setzt Beethoven auf die Stichvorlage: „zusammengestohlen aus verschiedenem diesem und jenem"[15]. Er ist in seiner Künstlerehre verletzt und fühlt sich wohl auch an die leidigen Auseinandersetzungen mit Peters drei Jahre zuvor erinnert. Trotz dieser neuerlichen Spannungen kehrt die Korrespondenz schnell zum geschäftsmäßigen Ton zurück, Korrekturen werden angemeldet, Dedikationen bestimmt, Metronomangaben versprochen und schließlich auch geschickt, Eigentumsbescheinigungen ausgestellt. Erst in den letzten Monaten nimmt das Verhältnis einen freundschaftlichen Charakter an. Schott wünscht Beethoven zum Neujahr 1827 „nicht allein langes Leben sondern auch Gesundheit, Zufriedenheit, und alles was" ihm „das Leben vergnügt und angenehm machen" könne[16]. Wenige Wochen später besorgt er den begehrten Rüdesheimer Wein, der aber, wie Beethovens Betreuer Schindler mitteilt, nicht mehr rechtzeitig ankommt.

Die Briefe des Verlages sind mit wenigen Ausnahmen von dem Verlagsleiter, Johann Joseph Schott, eigenhändig geschrieben. Doch zeichnet er nie persönlich, sondern stets mit dem Namen der Firma, „B. Schott Söhne". Wie die Notizen auf den Zuschriften Beethovens zeigen, beriet er sich in fast allen Fragen mit seinem Redakteur Gottfried Weber, den er ständig auf dem laufenden hielt. Die Beethovenschen Briefe wurden ihm zur Stellungnahme zugeschickt und dann „retour" gefordert. Anschließend wurden sie unter dem Namen des Komponisten jahrgangsweise in chronologischer Ordnung abgelegt, wobei jedes Schriftstück sorgfältig mit Namen und Ort des Absenders, mit seinem Datum und mit demjenigen der Antwort bezeichnet wurde.

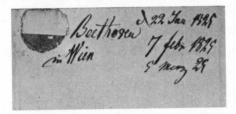

Dieser „Registraturvermerk", wie er hier genannt werden soll, diente der Auffindung der Unterlagen zu den eigenen Schreiben, die üblicherweise in Durchschrift, in Abschrift oder Konzept in sogenannten Kopierbüchern festgehalten wurden. Von diesen überaus wichtigen verlagsinternen Aufzeichnungen hat sich für den hier interessierenden Zeitraum unglücklicherweise nichts erhalten. Die vorliegende Edition stützt sich auf die Originalschreiben von Schott. Diese stammen aus dem Besitz Anton Schindlers, der sie Anfang 1827 als selbsternannter Sachwalter der Interessen Beethovens an sich genommen und 1845 zusammen mit seinen übrigen Beethoveniana an die Königliche Bibliothek in Berlin verkauft hat. Leider sind auch sie nicht lückenlos überliefert, wie sich aus den Registraturvermerken auf den Beethovenbriefen und aus anderen Indizien schließen läßt. Mindestens 19 Schreiben des Verlages an den Komponisten müssen als verloren gelten, dazu einige Dutzend Briefe an die Wiener Bankhäuser Fries und Franck, welche die Transaktion der Honorare zu besorgen hatten.

Im Gegensatz zu Schott ließ Beethoven seine Briefe häufig von anderen schreiben. Korrespondenz war ihm eine Last; die eigenhändigen Briefe belegen dies nur zu gut. Durchstreichungen, Überschreibungen und Ergänzungen an den Rändern zeigen, wie schwer es ihm fiel, den korrekten und treffenden Ausdruck zu finden, obwohl er fast jede Einzelheit mit seinen Freunden und Verwandten zuvor durchdiskutiert und manchen Brief erst skizziert hatte. Die mühevolle Arbeit des Briefschreibens nahm ihm vor allem der Neffe Karl ab. Er hatte eng nach den Konzep-

[9] Vgl. Brief Nr. 23, 24, 26.
[10] Vgl. Brief Nr. 43, 44, 60.
[11] Vgl. Brief Nr. 26, 29, 31, 35, 44.
[12] Vgl. Brief Nr. 23, 36.
[13] Vgl. Brief Nr. 36.
[14] Vgl. Brief Nr. 40.
[15] Vgl. Brief Nr. 55.
[16] Vgl. Brief Nr. 62.

ten oder Diktaten des Onkels zu arbeiten; insofern zeigt er wenig Eigenständigkeit. In der sprachlichen Formulierung unterscheidet er sich aber deutlich. Sie ist ebenso rund und geziert wie seine kalligraphische Handschrift[17]. Auch der Bruder Johann, der bei einer Reihe von Werken (op. 121b, op. 122, op. 124, op. 126 und op. 128) seine eigenen Interessen zu vertreten hatte, begegnet als Schreiber. Seine Ausdrucksweise ist schlicht und verrät, ebenso wie seine Orthographie, wenig Schulbildung, wohl aber einen klaren Willen[18]. 1825 hatte sich Beethoven mit dem liebenswerten Karl Holz, dem Secundarius des Schuppanzigh-Quartetts, angefreundet. In der Folge hat Beethoven ihn vielfach zur Beratung und gelegentlich auch zum Briefschreiben herangezogen[19]. Als der Neffe Anfang Januar 1827 seinen Militärdienst in Iglau antreten mußte, schlug die Stunde für Anton Schindler. 1824 unter demütigenden Umständen aus Beethovens Umgebung verbannt, wurde er nun wieder in Gnaden aufgenommen und hatte sich um das gesamte Haushaltswesen des Komponisten zu kümmern. Er besorgte die Korrespondenz während der letzten Monate fast ausschließlich allein[20]. Beethoven war bald zu schwach, seine Vorstellungen detailliert auszudrücken oder etwa den Wortlaut der Schreiben im einzelnen zu kontrollieren. So zeigen seine letzten Briefe deutlich den Stil Schindlers, etwas steif und unangemessen devot.

Wie die Briefe des Verlages sind auch jene Beethovens nur lückenhaft überliefert. Die Verluste sind jedoch, wie aus dem Erhaltenen zu erkennen ist, nicht groß. Schott hat die Beethovenbriefe zunächst in der beschriebenen Weise bei sich archiviert, doch hat er dann schon in früher Zeit etliche davon herausgezogen und verschenkt. Die heute in Privatbesitz befindlichen Briefe Beethovens an Schott mögen auf diese Weise aus dem Mainzer Hause gelangt sein. Auch die wenigen verschollenen Schreiben des Komponisten sind vermutlich frühzeitig dem Verlagsarchiv entnommen worden. Die jüngsten Entdeckungen auf dem Autographenmarkt zeigen, daß sie nicht endgültig als verlorengegangen anzusehen sind[21]. Der Hauptbestand an Beethovenbriefen kam aber, noch bevor er weiter durch Souvenirjäger und Autographensammler verstreut und dezimiert werden konnte, durch eine Schenkung des letzten Namensträgers der Gründerfamilie Franz Schott (1811–1874) und seiner Gattin Betty, geb. von Braunrasch (1820–1875), 1875 in die Stadtbibliothek in Mainz[22]. Lediglich ein Brief blieb in den Händen des Verlags[23], ein anderer vererbte sich in der Familie seiner Besitzer[24].

Beethovens Schriftwesen war bei weitem nicht so organisiert wie das seiner Verleger. Dennoch war es gewiß weniger chaotisch, als manche Berichte glauben machen. Auch Beethoven bewahrte sich Unterlagen zu seiner Korrespondenz auf, um den Verlauf der Verhandlungen verfolgen und die Einhaltung von Vereinbarungen überwachen zu können. Noch im August 1825 vermochte er sich an den Wortlaut eines Briefes vom 26. Januar desselben Jahres zu erinnern[25], gewiß nicht ohne Hilfe von schriftlichen Belegen. Doch von diesen Unterlagen, wahrscheinlich Briefkopien, hat sich nichts erhalten. Es ist dagegen eine ganze Reihe von Entwürfen und relevanten Gesprächsnotizen überliefert, welche zeigen, wie penibel jeder Brief abgefaßt wurde. Sie sind innerhalb von Konversationsheften oder auf einzelnen Blättern zu finden, die ehemals Teil von Konversationsheften waren. Zur Mitteilung sind sie hier nicht durchweg geeignet, aber sie stellen eine wertvolle Hilfe für den Kommentar dar, da sie die Gedankengänge festhalten, die zu dieser oder jener Formulierung führten, und Vorstellungen erkennen lassen, die mitunter im eigentlichen Schreiben unterdrückt wurden. Auch zur Rekonstruktion verschollener Briefe, ob von Schott oder von Beethoven selbst, zur Zusammenführung getrennt überlieferter Teile und zur Bestimmung der Chronologie ungenügend oder falsch datierter Schreiben können sie mit Gewinn herangezogen werden. Es ist die Vielschichtigkeit des Briefwechsels zwischen Beethoven und Schott sowie die Fülle und Verschiedenartigkeit der mit ihm verbundenen Editionsprobleme, welche ihn neben seinem biographischen Rang als Probepublikation für die unlängst begonnene Bonner Briefgesamtausgabe besonders geeignet erscheinen lassen. Von ihr soll im folgenden die Rede sein.

III

Gesamtausgaben von Beethovenbriefen unterliegen unentrinnbar dem Schicksal, unvollständig zu sein; kaum ein Herausgeber, der nicht darum weiß. 1865 veröffentlichte Ludwig Nohl eine „erste Gesammtausgabe", der er aber vorsichtigerweise nur den Titel „Briefe Beethovens" gab. In seinem einleitenden Vorwort erklärte er, besser als mancher andere zu wissen, daß „von einer auch nur annähernden Vollständigkeit dieser Briefe nicht die Rede sein" könne[26]. Die Sammlung enthielt 399 Briefe und als Anhang 12 weitere Schreiben. Nur zwei Jahre später zog Nohl mit einer Sammlung beinahe gleichen Umfangs nach, der er die Bezeichnung „Neue Briefe Beethovens" gab[27]. Er eröffnete damit jene Reihe von

---

[17] Vgl. Brief Nr. 29, 38, 44, 48, 51, 52, 57, 59, 61, 63; vgl. auch Abb. 5, S. 66.
[18] Vgl. Brief Nr. 20, 25.
[19] Vgl. Brief Nr. 36, 40, 64; vgl. auch Abb. 6, S. 74.
[20] Vgl. Brief Nr. 64, 66, 67, 69, 70, 72; vgl. auch Abb. 6, S. 75.
[21] So die Briefe Nr. 14 und 56.
[22] Vgl. Protokoll der Stadtverordneten-Versammlung der Stadt Mainz vom 21. 4. 1875 und das Testament von Franz Schott vom 8. 2. 1874, beides im Stadtarchiv Mainz.
[23] Brief Nr. 2.
[24] Brief Nr. 42.
[25] Vgl. Brief Nr. 36.
[26] *Briefe Beethovens*, hrsg. v. Ludwig Nohl, Stuttgart 1865, S. VI.
[27] *Neue Briefe Beethovens*, hrsg. v. Ludwig Nohl, Stuttgart 1867.

Publikationen mit gleichem oder ähnlichem Titel[28], die bis heute nicht abgeschlossen ist. Nach der Jahrhundertwende war dann die Zeit gekommen, das in jahrzehntelangem Forscherfleiß zu Tage geförderte Material erneut zusammenzufassen. Es erschienen unabhängig voneinander und beinahe gleichzeitig zwei fünfbändige Gesamtausgaben, 1906–1908 in Berlin die Gesamtausgabe Alfred Christlieb Kalischers und 1907–1911 in Wien die Gesamtausgabe Fritz Prelingers[29]. Kalischers Ausgabe enthielt 1221, Prelingers dagegen 1313 Dokumente (nicht alle davon sind Briefe im eigentlichen Sinne). Beide stießen sogleich auf entschiedene Kritik. Theodor von Frimmel, der selbst Pläne zu einer Briefgesamtausgabe verfolgt hatte, warf Prelinger 1907, also schon zu Beginn des Unternehmens, eine urteilslose, oberflächliche Kompilation fremder Veröffentlichungen vor. Er bezweifelte zu Recht, ob sich die Ausgabe je zu wissenschaftlicher Bedeutung aufschwingen werde[30].

Noch wesentlich schärfer ging Frimmel mit Kalischer ins Gericht[31]. Zu den zahlreichen gravierenden Mängeln der Berliner Ausgabe rechnete er die Inkonsequenz des Planes und die mangelnde Sorgfalt der Ausführung, die Fehlerhaftigkeit der Chronologie und der Textwiedergabe, vor allem aber die Unvollständigkeit. Die Ausgabe wiese „klaffende Lücken" auf. Bedeutungsvolle wichtige Stücke, obwohl bereits publiziert, seien nicht aufgenommen worden. Andererseits seien aus Unachtsamkeit manche Dokumente mit unterschiedlichem Datum doppelt vertreten. Als sich Frimmel 1910 zu einer Revision der Ausgabe Kalischers bereitfand, sah er seine Aufgabe insbesondere in der „notwendigen Ergänzung der ersten Auflage durch die vielen Schriftstücke, die dort übersehen sind". Seiner Rechnung nach fehlten dort „mehr als 200 Briefe"[32].

Trotz ihrer offenkundigen Mängel hat die Gesamtausgabe Kalischers einen tiefgreifenden Einfluß auf alle nachfolgenden Unternehmungen dieser Art ausgeübt. Sie vertrat, obwohl sie ihn selbst bei weitem nicht erfüllte, einen wissenschaftlichen Anspruch, der eine Herausforderung darstellte. Erstmals bezeichnete ein Herausgeber seine Ausgabe als „kritisch". Kalischer verstand darunter die besondere Art der Textwiedergabe, die durchgehende Kommentierung und den konsequenten Quellennachweis. Mochte sich später auch der Text als unkorrekt, der Kommentar als unzutreffend und nichtig und der Quellennachweis als obsolet erweisen, so war doch in dieser Zusammenstellung ein Modell gegeben, das sich leicht übernehmen und verbessern ließ. Die Methode seiner Textübertragung nannte Kalischer „diplomatisch getreu". Er begründete sie mit einer angeblichen phonetischen und nicht etymologischen Orthographie[33] Beethovens und suchte sie mit groben, polemischen Ausfällen gegen Autoritäten wie Thayer und Frimmel durchzusetzen. Was andere Autoren als Nachlässigkeit und Unkorrektheit ansahen, mit mangelnder Bildung des Komponisten erklärten und infolgedessen stillschweigend verbesserten, betrachtete Kalischer als ein besonderes, seinen eigenen Wert beanspruchendes Charakteristikum des auch literarisch vollzunehmenden Beethoven. Nach ihm ist jede Veränderung des originalen Buchstabenbestandes, jede Zufügung oder Auslassung eines Interpunktionszeichens eine Verfälschung und ein Verstoß gegen die Wissenschaftlichkeit.

Mit dem Hinweis auf die diplomatisch getreue Wiedergabe hatte Kalischer ein Reizwort geliefert, das schon zu seiner Zeit zu heftigen Kontroversen führte. Albert Leitzmann warf ihm in einer Rezension 1908 die „allergröbste Unkenntnis in Phonetik und deutscher Sprachgeschichte" vor[34]. Er wies auf die Schwierigkeit der Lektüre dieser Texte hin und plädierte mit beachtenswerten Gründen für eine behutsame Modernisierung und Besserung. Der von Kalischer propagierten „diplomatischen Treue" werde kein Laie Dank wissen, und „Philologen von Fach" sähen darin „höchstens eine Karikatur philologischer Methode".

Dennoch hat sich in der Folge Kalischers Beispiel durchgesetzt; dies ist schon in der von Hugo Riemann revidierten und vollendeten Beethovenbiographie von Alexander Wheelock Thayer zu erkennen. Einige Ungereimtheiten der Übertragungsweise Kalischers wurden nach und nach beseitigt, so zum Beispiel die durch Quellen nicht gedeckte Wiedergabe des Buchstaben z im Wortinnern durch ein vermeintlich phonetisch korrekteres tz. Was bei Kalischer noch willkürlich oder ungenügend begründet schien, wurde durch die grundlegende Studie „Beethovens Handschrift" von Max Unger 1926 in Regeln gefaßt[35]. Mochte die Lesart einiger Buchstaben, wie etwa des deutschen y, auch weiterhin strittig und die Unterscheidung zwischen Groß- und Kleinschreibung noch immer problematisch sein, so wurde doch das Prinzip der Wiedergabe des originalen Lautbestandes in Zukunft nicht angetastet. Entgegen der Entwicklung in manchen anderen Disziplinen gin-

---

[28] Nohl veröffentlichte schon kurz nach seiner ersten Briefsammlung 34 weitere *Ungedruckte Briefe Beethoven's* aus der Korrespondenz mit Ignaz von Gleichenstein, Westermann's Monatshefte Nr. 15 vom Dezember 1865. In demselben Jahr erschienen die *83 Originalbriefe Ludwig van Beethovens an den Erzherzog Rudolph*, hrsg. v. Ludwig Ritter von Köchel, Wien.

[29] *Beethovens Sämtliche Briefe. Kritische Ausgabe*, hrsg. v. Alfred Christlieb Kalischer, 5 Bde, Berlin und Leipzig 1906–1908, Bd. 1 1909 in zweiter Auflage revidiert von Kalischer, Bd. 2 und 3 1910–1911 revidiert von Theodor von Frimmel; *Ludwig van Beethovens sämtliche Briefe und Aufzeichnungen*, hrsg. v. Fritz Prelinger, 5 Bde, Wien und Leipzig 1907–1911.

[30] Theodor von Frimmel, *Bemerkungen zur angeblich „kritischen" Ausgabe der Briefe Beethovens*, Wien 1907, S. 3f. Der Aufsatz bezieht sich vor allem auf die Gesamtausgabe Kalischers. Prelingers Werk wird nur auf den ersten Seiten kurz berührt.

[31] Ebenda.

[32] So im „Vorwort zur zweiten Auflage" (s. Anmerkung 29), S. VI.

[33] A.a.O. Bd. 1, Vorwort, S. VI.

[34] Albert Leitzmann, *Studien zu Beethovens Briefen. Ein Beitrag zur Kritik ihres neuesten Herausgebers*, Deutsche Rundschau 37 (1908), S. 76–90, besonders S. 81.

[35] Veröffentlichungen des Beethovenhauses in Bonn, hrsg. v. Ludwig Schiedermair, Bd. 4, Bonn 1926.

gen die Bemühungen sogar hin zu noch größerer Annäherung an das Original. Es wurde in der gedruckten Wiedergabe zwischen deutscher und lateinischer Schrift unterschieden, Unterstreichungen, Wortabstände und Zeilenfall wurden reproduziert, Korrekturen und Schreibmittel verzeichnet. Auch heute ist die unbequeme, oft als neopositivistisch verschriene „diplomatische Treue" kaum zu umgehen. Die Methode hat sich in der Beethovenforschung fest eingebürgert, sie wird, mehr oder weniger streng, international überall da angewandt, wo es um die „korrekte" Wiedergabe eines Beethoventextes in der originalen Fassung geht. Die Begründung ist heute freilich eine andere als zu Zeiten Kalischers. Es geht nicht darum, einen eigenen sprachschöpferischen Wert der Falsch- oder Rechtschreibung Beethovens herauszustellen. Vielmehr sollen die Texte in derselben Kompliziertheit und Schwierigkeit wiedergegeben werden, in der sie sich den ursprünglich für sie bestimmten Lesern darboten. Es wird heute keine Veranlassung gesehen, Eigentümlichkeiten, Fehler und Schwächen zu kaschieren und durch redaktionelle Eingriffe eine glatte, eingängige Prosa zu schaffen.

Die erste Reaktion auf Kalischers „kritische" Ausgabe ging allerdings genau in diese Richtung. 1910 erschien die Briefgesamtausgabe von Emerich Kastner[36], die auf „diplomatische" Texttreue und philologische Methode von vornherein verzichtete. Sie verwendete die moderne „amtliche Rechtschreibung", brachte nur kurze Angaben über die Erstdrucke und, falls zu ermitteln, über den Fundort der Autographen. Auf einen Kommentar verzichtete sie ganz. Dagegen legte sie größten Wert auf Vollständigkeit und Handlichkeit. Sie vereinigt in nur einem Band 1459 Schriftstücke. Die „völlig umgearbeitete und wesentlich vermehrte Neuausgabe" von Julius Kapp, 1923, verfolgte dieses Ziel noch rigoroser und kehrte sich von aller Wissenschaft ab. Sie brachte nur noch die Texte, 1479 Schriftstücke, und ließ die Angaben über Erstdrucke und Autographen völlig weg. Trotz ihrer großen, früherkannten Mängel war und ist noch diese „Volksausgabe" überaus erfolgreich[37]. Sie ist die letzte deutschsprachige Gesamtausgabe der Briefe Beethovens; alle späteren Unternehmungen, und deren gab es viele, haben bislang nicht zum Erfolg geführt.

Schon vor 1914 begann Max Unger mit den Vorbereitungen zu einer neuen Briefgesamtausgabe. Die Kritik an Kalischer und die Verschiedenheit der umlaufenden Textversionen hatten ihn zu der Einsicht gebracht, daß grundsätzlich jeder Brief, jedes Schriftstück mit dem originalen Dokument zu vergleichen und der Text nach einer streng geregelten Übertragungsmethode wiederzugeben sei. Bei seinen geringen technischen und finanziellen Mitteln war dies eine überaus große Aufgabe. Schon 1922 wähnte sich Unger kurz vor dem Ziel[38]. Doch die Zeit war ihm nicht günstig. Tiefgreifende Umschichtungen in den Autographenbeständen – es wurden damals zahlreiche bedeutende Sammlungen aufgelöst oder verlagert, neue angelegt – zwangen ihn zu immer weiteren zeitraubenden Recherchen.

XVI

Die Jahre nach dem Zweiten Weltkrieg führten schließlich zu einer Situation, die der zwischen 1906 und 1910 sehr ähnelte. Es konkurrierten mehrere Unternehmen miteinander. Zu dem alten Vorhaben von Unger kam um 1947 eine neue Initiative. Emily Anderson begann mit den Arbeiten an einer englischen Übersetzung. Angesichts der Unzulänglichkeit der vorliegenden gedruckten Texte sah sie sich ebenfalls gezwungen, von den Originalquellen auszugehen[39]. Bevor diese übersetzt, chronologisch geordnet und kommentiert werden konnten, mußten sie zunächst in der Originalsprache transkribiert werden. Es war daher naheliegend, zugleich eine deutsche Ausgabe zu veranstalten. Diese Parallelveröffentlichung sollte Otto Erich Deutsch besorgen. Zu Beginn der fünfziger Jahre reiften dann auch im Bonner Beethoven-Archiv die Pläne für eine neue Briefgesamtausgabe, die von Joseph Schmidt-Görg herausgegeben werden sollte. Das Archiv hatte damals den privilegierten Zugang zu der bedeutenden Beethovensammlung des Schweizer Arztes Hans Conrad Bodmer, in der Briefautographen besonders reich vertreten waren. Dieser Umstand sowie die Verfügbarkeit einer eigenen umfangreichen Materialsammlung ließen das Archiv als geradezu prädestiniert für eine Briefausgabe erscheinen.

Keines der Projekte für eine deutschsprachige Ausgabe wurde indessen realisiert. Die Pläne von Otto Erich Deutsch wurden angesichts der Konkurrenz bald aufgegeben. Max Unger starb 1959 und mußte sein Lebenswerk unvollendet lassen. Mit seinem Nachlaß übernahm das Beethoven-Archiv auch die Unterlagen zu seiner Briefausgabe. Die Bonner Ausgabe schließlich verzögerte sich mehr und mehr durch die Inangriffnahme ständig neuer aufwendiger Vorhaben. Sie geriet endgültig in die Krise, als Schmidt-Görg, nunmehr in hohem Alter, als Direktor des Beethoven-Archivs ausschied. Seine Materialien gelangten nach seinem Tode (1981) bedauerlicherweise in privaten Besitz.

Von den vier konkurrierenden Vorhaben der Nachkriegszeit wurde also nur das englische verwirklicht. Die Briefausgabe Emily Andersons, erschienen 1961 in drei Bänden, vereinigte 1570 Briefe, einige davon sogar als Erstdruck, und in Anhängen weitere 82 Schriftstücke. Damit war sie umfangreicher als jede andere

---

[36] *Ludwig van Beethovens sämtliche Briefe. Nebst einer Auswahl von Briefen an Beethoven*, hrsg. v. Emerich Kastner, Leipzig 1910.

[37] Ein unveränderter Nachdruck erschien erst kürzlich (1975) bei Hans Schneider, Tutzing.

[38] In einem Schreiben an die Familie Gleichenstein vom 13. 9. 1922 äußerte er: „Ich bin kurz vor dem Abschluß einer neuen Beethovenbriefausgabe".

[39] *The Letters of Beethoven*, collected, translated and edited with an Introduction, Appendixes, Notes and Indexes by Emily Anderson, 3 Bde, London 1961, S. XIV: „the present editor realized from the outset that nothing should be taken on trust: a clean sweep would have to be made of nearly all the editorial work hitherto available, and no effort should be spared to trace the original of each letter, whether written by Beethoven or merely signed by him, to copy it carefully and then to translate it".

Ausgabe zuvor[40]. Anderson hat jedes Dokument, wo immer es sich ermitteln ließ, in Original oder Photokopie eingesehen und damit erheblich zur Verbesserung der bisher publizierten Texte beigetragen. Auch die neue chronologische Ordnung stellte einen bedeutenden Fortschritt dar. So ist Andersons Ausgabe ein Standardwerk, das selbst nach 25 Jahren weiterer Forschung nichts von seinem Rang eingebüßt hat.

Seit dem Erscheinen der englischen Ausgabe sind, wie kaum anders zu erwarten, weitere Dokumente bekannt geworden, Briefe im eigentlichen Sinne und andere ihnen nahestehende Schriftstücke. Es sind darüber hinaus zahlreiche Autographen zum Vorschein gekommen, die Anderson nicht zugänglich waren. Dadurch wurde es möglich, weitere Texte anhand der Originalquellen zu prüfen und gegebenenfalls zu korrigieren. Vereinzelt wurden auch Fehler oder Ungenauigkeiten in der Übersetzung moniert. Gleichwohl wurde der Wert der Ausgabe Andersons insgesamt nicht wesentlich berührt. Tiefer ging jedoch die Kritik, die an dem Kommentar geübt wurde. Er erschien in vielen Fällen zu knapp, und besonders wurde das Fehlen von Begründungen für die vorgeschlagene Chronologie bedauert, selbst wenn diese nicht in Frage gestellt werden sollte[41]. Ohne Zweifel werden sich künftige Ausgaben darum bemühen müssen, diese Mängel zu beheben. Sie werden außerdem bestrebt sein, das Material weiter zu vervollständigen und befriedigendere Lösungen für die Chronologie der zahlreichen falsch- oder nichtdatierten Schreiben Beethovens vorzuschlagen. Die noch unvollendete russische Briefausgabe von Nathan Fischman[42] befindet sich auf diesem Wege. Das wichtigste Anliegen muß heute aber sein, endlich eine zuverlässige Ausgabe der originalen deutschen Texte vorzulegen.

In Erkenntnis dieser Situation hat sich das Beethoven-Haus entschlossen, eine neue Gesamtausgabe der Briefe Beethovens in Angriff zu nehmen. Mit den Arbeiten ist im Oktober 1983 begonnen worden[43]. Es wurde ein Herausgebergremium gebildet, dem Sieghard Brandenburg (Bonn), Günter Brosche (Wien), Lewis Lockwood (Cambridge, Mass.), Maynard Solomon (New York), Martin Staehelin (Göttingen) und Alan Tyson (Oxford/London) angehören; leider haben gesundheitliche Rücksichten die weitere Mitarbeit von Heinz Becker (Bochum) in Frage gestellt. Mit der Leitung der Ausgabe ist zunächst Martin Staehelin beauftragt worden; die Erfahrungen, die während der Vorbereitung des vorliegenden Bandes gemacht werden konnten, haben es ratsam erscheinen lassen, auch den Direktor des Bonner Beethoven-Archivs in die Editionsleitung zu berufen, so daß die Verantwortung für die Ausgabe nunmehr bei Martin Staehelin und Sieghard Brandenburg gemeinsam liegt. Die eigentlichen Redaktionsarbeiten werden von Martella Gutiérrez-Denhoff (Bonn) geleistet. Ihr assistiert eine Anzahl von studentischen Hilfskräften. Erfreulicherweise ist es gelungen, Dagmar Beck und Grita Herre, beide Mitarbeiterinnen des Beethovenzentrums der Humboldt-Universität (Berlin DDR), für die Vorbereitung der Ausgabe zu gewinnen; sie werden die Briefbestände der Deutschen Staatsbibliothek bearbeiten und darüber hinaus aus ihrer intimen Kenntnis der Beethovenschen Konversationshefte beratend mitwirken.

IV

Die Editionsrichtlinien der neuen Bonner Briefausgabe, denen auch der vorliegende Briefwechsel mit Schott bis auf wenige Ausnahmen folgt, sind in Rückbesinnung auf die Ziele und Probleme früherer Bemühungen abgefaßt, und sie sind bestrebt, die Ergebnisse vorausgegangener Diskussionen zu integrieren[44]. Obwohl sämtliche Herausgeber bisher Vollständigkeit intendierten, haben sie in sehr einseitiger Weise nur jene Briefe in ihre Ausgaben aufgenommen, die Beethoven versendet hat. Die neue Bonner Ausgabe wird demgegenüber systematisch auch solche Schreiben aufnehmen, die er empfangen hat, ob sie nun direkt oder indirekt an ihn gerichtet wurden[45]. Aufnahme finden des weiteren Briefe, die von anderen in seinem Namen und Interesse verfaßt worden sind. Sofern sich verschollene Schriftstücke aus anderen Quellen hinreichend genau rekonstruieren lassen, werden auch sie berücksichtigt, und zwar entweder durch einen Hinweis

[40] Anderson war sich durchaus im klaren darüber, daß im Laufe der Zeit weitere Beethovenbriefe zum Vorschein kommen würden: „Indeed the fact that the autographs of both published and unpublished letters are constantly coming to light has convinced the present editor that there can never be a *Gesamtausgabe* of Beethoven's correspondence in the true sense of the word, but only an edition as complete as possible at the time of publication"; a.a.O., S. XV.

[41] Stellvertretend für zahlreiche andere Besprechungen seien genannt die Rezension von Nathan Fischman, *Novoe izdanie pisem Betchovena* (Neue Ausgabe der Briefe Beethovens), Sovetskaja muzyka 27 (1963), S. 130–135, und die grundlegende Studie von Alan Tyson, *Prolegomena to a Future Edition of Beethoven's Letters*, Beethoven Studies 2, London 1977, S. 1–19.

[42] *Pisma Betchovena* (Beethovens Briefe), hrsg. v. Nathan L. Fischman, bisher erschienen 2 Bde, Moskau 1970 und 1977; sie umfassen die Briefe bis 1816.

[43] Die Überlegungen dazu gehen freilich schon in eine frühere Zeit zurück; so ist etwa der Sammelbeitrag von Otto Biba, Sieghard Brandenburg, Rudolf Elvers, Marianne Helms, Robert Münster, Martin Staehelin und Alan Tyson, *Unbekannte oder wenig beachtete Schriftstücke Beethovens*, BJ 10 (1978/81), Bonn 1983, S. 21–85, durchaus als Erprobung einer Auswahledition von Beethovenbriefen veranstaltet worden.

[44] Die Richtlinien sind, wie leicht erkennbar, in verschiedener Hinsicht den Darlegungen von Alan Tyson, *Prolegomena to a Future Edition of Beethoven's Letters*, Beethoven Studies 2, London 1977, S. 1–19, verpflichtet. Für die grundsätzlichen Überlegungen zu Briefausgaben überhaupt ist überaus anregend der Sammelband *Probleme der Brief-Edition*, Kolloquium der Deutschen Forschungsgemeinschaft 1975, hrsg. v. Wolfgang Frühwald, Hans-Joachim Mähl und Walter Müller-Seidel, Bonn-Bad Godesberg/Boppard 1977.

[45] In geringer Auswahl haben bereits frühere Briefausgaben, zum Beispiel Nohl in *Neue Briefe Beethovens* und Kastner in der ersten Auflage seiner Gesamtausgabe, Antwortbriefe aufgenommen.

im Kommentar oder, im günstigeren Falle, durch eine Rekonstruktion als Regest im Textteil. Briefentwürfe werden dann aufgenommen, wenn sie sich von der endgültigen Fassung charakteristisch unterscheiden oder wenn diese verschollen ist. Andernfalls werden sie nur im Kommentar vermerkt. Dort werden dann auch die bedeutenderen Textabweichungen mitgeteilt. Dem Beispiel anderer Briefausgaben folgend soll zudem die (spärlich erhaltene) Korrespondenz der Familienangehörigen einbezogen werden. In einem Anhang werden schließlich jene Schriftstücke gesammelt, die keine Briefe im eigentlichen Sinne sind, mit diesen aber in engem inhaltlichen Zusammenhang stehen: Quittungen, Verträge, Zeugnisse und andere ähnliche Dokumente. Der vorliegende Briefwechsel mit Schott verzichtet allerdings aus praktischen Gründen auf eine solche Differenzierung: Wegen der wenigen in Betracht kommenden Stücke wäre ein eigener Anhang zu aufwendig.

Ein hoher Prozentsatz der Briefe Beethovens ist bekanntlich nicht datiert. Selbst unter den Schreiben, die mit einem Datum versehen sind, befinden sich etliche, die unrichtig bezeichnet sind. Die Aufstellung einer korrekten zeitlichen Abfolge, die lückenlos jedes zu publizierende Dokument erfaßt, ist daher ein schwieriges Problem, das selbst bei großem technischem Aufwand – man denke an Wasserzeichen- und sonstige Papieruntersuchungen – nicht immer zufriedenstellend zu lösen sein wird. Gleichwohl wird die neue Briefausgabe sämtliche Texte in chronologischer Folge anordnen. Sie trägt damit der eminenten Bedeutung Rechnung, welche die Chronologie für Beethovens Biographie besitzt. Der hier gesondert herausgegebene Briefwechsel mit Schott wird selbstverständlich in die Gesamtausgabe noch einmal und dann in der entsprechenden Anordnung aufgenommen.

In der Wiedergabe der Texte folgt die neue Briefausgabe der heute üblichen Methode, das heißt, sie reproduziert die Originalschreiben grundsätzlich buchstabengetreu. Wo diese nicht vorliegen oder zugänglich sind, folgt sie der besten überlieferten Quelle. In diesem Falle wird nicht versucht, die ursprüngliche Schreibweise zu rekonstruieren. Lateinische Schrift, die im Original vielfach zur Kennzeichnung von Fremdwörtern und Eigennamen dient, wird kursiv dargestellt. Das in Beethovens deutscher Schrift nicht eindeutige Zeichen „j" wird bei Diphthongen entsprechend den Gepflogenheiten der Zeit durch den Buchstaben y wiedergegeben. Bekanntlich differenziert Beethoven Klein- und Großbuchstaben nicht genügend. Wo eine Unterscheidung nicht eindeutig gegeben ist, wird ebenfalls nach zeitgenössischer Praxis verfahren. Verdopplungstriche werden stillschweigend aufgelöst, Schnörkel und ähnliche Kürzel normalisiert. Gebräuchliche Abbreviaturen werden beibehalten und in einer Liste am Anfang des Bandes aufgeschlüsselt, ungebräuchliche dagegen in eckigen Klammern ergänzt. Grundsätzlich wird jeder Herausgeberzusatz innerhalb eines Dokumententextes auf diese Weise gekennzeichnet.

Beethovens Briefautographe weisen fast immer Überschreibungen, Streichungen und Ergänzungen auf. Nicht alle dieser Korrekturen erscheinen innerhalb einer Gesamtausgabe mitteilenswert. Von den getilgten Textteilen werden nur vollständige oder als solche ergänzbare Wörter und Sätze wiedergegeben. Sie sind an dem entsprechenden Ort in spitze Klammern gesetzt. Alle anderen Tilgungen werden stillschweigend übergangen. Längere unlesbar gemachte Passagen werden im Kommentar vermerkt. Von den Textergänzungen werden nur jene eigens (durch +) gekennzeichnet, die auch von Beethoven mit entsprechenden Zeichen markiert wurden. Die übrigen sind ohne Vermerk an der beabsichtigten Stelle eingefügt. Einfache oder mehrfache Unterstreichungen im Original werden durch einfache Unterstreichung wiedergegeben.

Auch in der Interpunktion und der Absatzgliederung folgt die Ausgabe getreu dem Original. Sie verzichtet aber darauf, Zeilenfall und Seitenwechsel zu kennzeichnen, geschweige denn zu reproduzieren. Die räumliche Gliederung des Textes kann in der originalen Handschrift gelegentlich die Funktion der Interpunktion übernehmen, die Beethoven bekanntlich nur mangelhaft verwendete. In der Druckschrift vermag sie dies jedoch nicht, wie verschiedene frühere Versuche gezeigt haben. Die Ergänzung von Interpunktionszeichen würde aber zu weitreichenden Konsequenzen für die gesamte Übertragungsmethode führen. Ohne Zweifel würden diese schließlich doch auf eine Glättung der Texte hinauslaufen, ein Vorgang, welchen die Herausgeber für unangemessen halten. Die schwierigere Gestalt der auf Ergänzungen verzichtenden Transkription kommt dem Charakter des Originals weitaus näher und wird daher bewußt in Kauf genommen.

Jedes Dokument, das in die Briefausgabe aufgenommen wird, erhält einen Kommentar. Dieser wird unmittelbar nachgestellt, also nicht in einen Fußnoten-Apparat am unteren Seitenrand oder gar in einen gesonderten Band verwiesen. Als erstes bringt er in jedem Fall die Angabe der Quelle mit Fundort, Signatur[46] und Kurzbeschreibung. Gegebenenfalls weist er auch Faksimilierungen nach. Die anschließenden Anmerkungen, im Text durch hochgestellte Ziffern gekennzeichnet, geben Begründungen für problematische Datierungen und erläutern inhaltliche Zusammenhänge, Werke, Sachen und Personen. Ebenso werden nicht vom Briefschreiber stammende Eintragungen in den Originalen, falls sie für das Verständnis wichtig genug sind, referiert und gegebenenfalls auch mitgeteilt. Es ist darauf hinzuweisen, daß der Kommentar in einer Briefauswahl wie der vorliegenden in Umfang und Inhalt naturgemäß etwas anders ausfallen muß als in einer Gesamtausgabe. Er hat, wenn er seine erläuternde Funktion erfüllen will, eine

[46] Die Signaturen der Handschriften aus der Deutschen Staatsbibliothek Berlin werden verkürzt angegeben. Der Vorspann „mus. ms. autogr. Beethoven" wird vereinfacht. Entsprechend wird mit den Signaturen der Staatsbibliothek Preußischer Kulturbesitz Berlin und der Biblioteka Jagiellońska Kraków verfahren.

größere und teilweise auch eine andere Menge an Information zu bringen. Insgesamt aber gilt, daß ein möglichst knapper, alle Wiederholungen vermeidender Stil angestrebt wird. Auf keinen Fall sollen weitschweifige Interpretationen gegeben werden.

Zur leichteren Handhabung sollen der neuen Briefgesamtausgabe mehrere Register beigefügt werden. Es ist gedacht an ein Register der erwähnten Kompositionen, der Personen und Sachen, an eine Liste der Texte in chronologischer Übersicht, der Incipits in alphabetischer Ordnung und der Erstdrucke, außerdem an eine Konkordanz mit anderen Briefausgaben und schließlich an ein Verzeichnis der verwendeten Literatur. Zur Vorbereitung der neuen Briefgesamtausgabe gehören auch Papieruntersuchungen. Ob sich indessen ein Register der Wasserzeichen lohnen wird, kann im Moment nicht beurteilt werden.

V

Den Unterzeichneten bleibt schließlich die angenehme Pflicht, Dank zu sagen. Dieser Dank richtet sich zunächst und in erster Linie an Frau Anne Liese Henle (Duisburg) und Herrn Dr. h.c. Hermann J. Abs (Frankfurt a. M.), die in ungewöhnlich großzügiger Weise die Durchführung der Vorarbeiten zu der neuen Briefgesamtausgabe ermöglicht haben; in diesen Dank sei auch die Peter Klöckner-Stiftung (Duisburg) eingeschlossen, die durch eine erhebliche Zuwendung die Weiterführung der Arbeiten gesichert hat. Dem G. Henle Verlag gebührt hohe Anerkennung für die freundliche Förderung, die er dem neuen Vorhaben bereits bei seinem Anfang angedeihen ließ. Für seine Bereitschaft zur Erprobung neuer Herstellungsmethoden sei ihm ebenso gedankt wie für die sorgfältige Betreuung und die ansprechende Ausstattung des vorliegenden Bandes.

Sodann geht ein besonderer Dank an die Institutionen, die als die glücklichen Besitzer der originalen Quellen liebenswürdigerweise die Erlaubnis zur Veröffentlichung erteilt haben. Es sind dies die Paul-Sacher-Stiftung Basel, die Musikabteilung der Deutschen Staatsbibliothek Berlin, das Beethoven-Haus Bonn, das Archiv des Musikverlags B. Schott's Söhne Mainz, die Stadtbibliothek Mainz, die Dreer Collection der Historical Society of Pennsylvania in Philadelphia, das Ira F. Brilliant Center for Beethoven Studies der San Jose State University in San Jose, California; nicht vergessen sei schließlich ein privater Sammler, der jedoch nicht namentlich genannt sein will. Daß der Musikverlag B. Schott's Söhne die vorliegende Ausgabe mit verschiedenen eigenen Materialien freundlich unterstützt hat, obwohl der Band nicht von ihm verlegt wird, verdient ein besonderes Wort der Anerkennung.

Die Unterzeichneten möchten nicht versäumen, sich an dieser Stelle auch an alle anderen glücklichen Besitzer von Beethoven-Briefen und weiterem relevanten

XXII

Material zu richten. Sie werden freundlichst gebeten, das Beethoven-Haus mit ihren Schätzen bekannt zu machen und ihm Zugang dazu zu gewähren. Nur durch ihre Mitwirkung kann es gelingen, eine annähernd vollständige Ausgabe der Beethovenschen Korrespondenz zu erstellen. Jede Information ist willkommen und wird mit herzlichem Dank entgegengenommen; auf besonderen Wunsch wird sie gerne vertraulich behandelt.

Auch den an den Vorarbeiten beteiligten Damen und Herren – sie sind oben bereits namentlich genannt worden – sei dafür gedankt, daß sie den bisher geleisteten Arbeiten ihre besondere Sachkenntnis und Kritik haben zugute kommen lassen: Manche hier vorgetragene Information über Quellen, manche gebotene Erklärung im Kommentar und manche editorische Regelung geht auf die in sorgfältiger und tiefdringender Bemühung gefundene und bereitwillig zur Verfügung gestellte Mitteilung dieser Mitarbeiter zurück. Herrn Dr. Fritz Kaiser, Stadtbibliothek Mainz, sei für seine stete Bereitschaft zu Auskünften nochmals bestens gedankt. Freundliche Anerkennung sei des weiteren Herrn Peter Riethus, Wien, ausgesprochen. Er hat das Manuskript aufmerksam und kritisch gelesen und manche Anregung gegeben. Eigens gedankt sei überdies Herrn Prof. Dr. Harry Goldschmidt (Berlin, DDR), der sich für die geplante Briefgesamtausgabe ebenfalls sehr eingesetzt hat.

Eingeschlossen in den Dank seien Sigrid Bresch und Jürgen Pfeiffer (beide Bonn) für die sorgfältige Korrekturlesung des Manuskriptes. Ein letztes und besonders herzliches Dankeswort sei schließlich an Martella Gutiérrez-Denhoff gerichtet. Sie hat in frisch entschlossener und ausgezeichnet förderlicher Art einen wesentlichen Teil der bisherigen Editionstätigkeit geleistet; ohne ihre wertvolle Hilfe und ihre unermüdliche Einsatzbereitschaft könnte der vorliegende Probeband zur neuen Gesamtausgabe der Briefe Beethovens heute noch nicht vorgestellt werden.

Göttingen/Bonn, im September 1985   MARTIN STAEHELIN
                                                      SIEGHARD BRANDENBURG

CHRONOLOGISCHE ÜBERSICHT DER BRIEFE

ABKÜRZUNGEN

Allo	Allegro
C.M., Conv.M.	Conventionsmünze
Cie, Compie, Compg.	Compagnie
d.g., dgl.	dergleichen
d.h.	das heißt
#	Dukaten
EA	Erstausgabe
etc.	et cetera
fl., f.	Florin, Gulden
Grhzl., Großh.	Großherzoglich
Hess.	Hessisch
Hon., Honor.	Honorar
Hr., Hrn.	Herr, Herrn
Kais., Kaiserl.	Kaiserlich
K.H.	Kaiserliche Hoheit
k.k.	kaiserlich-königlich
königl.	königlich
m.p., mpria	manu propria
Nb.	Nota bene
o.S.	ohne Signatur
℔	Pfund
PN	Plattennummer
P.P.	Praemissis Praemittendis
P.S.	Postscriptum
Preuß.	Preußisch
Se., Sr.	Seine, Seiner
Wohlg.	Wohlgeborn
Literatursigel	s. Literaturverzeichnis S. 89
[…]	Herausgeberergänzung
‹…›	Streichung

BRIEFTEXTE UND KOMMENTARE

Abb. 1: Johann Joseph Schott
(Lithographie nach einer Zeichnung von August Selb 1852)

1. B. Schott's Söhne an Beethoven

[Mainz, vor 10. März 1824]

[Der Verlag bittet um Beiträge für die neu gegründete Zeitschrift Cäcilia[1]. Beethoven möge ihm einige Werke überlassen.]

Quelle: Original nicht bekannt; Brief erschlossen aus Nr. 2 und Nr. 6.

[1] Cäcilia [Caecilia], eine Zeitschrift für die musikalische Welt, herausgegeben von einem Vereine von Gelehrten, Kunstverständigen und Künstlern. Bd. 1–20 (1824–1839) redigiert von Gottfried Weber, Bd. 21–28 (1842–1848) redigiert von Siegfried Wilhelm Dehn. Mainz (Brüssel und Antwerpen): Im Verlage der Hof-Musikhandlung B. Schott Söhne.

2. Beethoven an B. Schott's Söhne

Vien am 10ten März 1824

Euer wohlgebohrn!

Ich ersuche sie höfflichst der *R.[edaktio]n* der *C[äcili]a* meinen Dank abzustatten für ihre Aufmerksamkeit, wie gern würde ich ihr dienen, was mein geringes Indiviuum anbelangt, fühlte ich nicht den mir angebohrnen größern Beruf durch werke mich der welt zu offenbaren, ich habe aber auftrag gegeb. ihnen einen zuverläßigen (welches bey der Partheylichkeit, hier sehr Schwer ist,) Korrespond.[enten] auszumitteln, finde ich etwas merkwürdiges von mir (aber du lieber Himmel wie schwer ist dieses), so werde ich es ihnen gern durch diesen Mittheilen laßen, auch selbst, wo sie es ausdrückl. verlangen u. es mir immer meine immerfort beynahe unausgesezt. Beschäftig. erlauben, mich mittheilen.

in ansehung von neuen Werken, welche sie von mir zu haben wünschten, trage ich ihnen folgende an, nur müßte die Entschließung nicht lange ausbleiben - eine neue große *solenne* Meße* mit *solo* u. chorstimmen [samt][1] ganzen orchester[2] an, so schwer es mir wird über mich selbst zu reden, so halte ich sie doch für mein

3

gröstes Werk, das *Honorar* wär 1000 *fl.* in *C.M.*, eine neue große *sinfonie**, welche mit einem *Finale* (auf Art meiner Klavier-Fantasie[3] mit chor) jedoch weit größer gehalten mit *solos* u. chören von *Singstimmen* die worte von *Schillers* unsterbl. bekannten lied <u>an die Freude</u> schließt[4]. das *Honor.* 600 fl.* *C.M.* ein neues Quartett* für 2 Violin Bratsche u. Violon*schell*[5] das *Honor.* 50#* in Gold.

dies geschieht nur um ihnen zu willen zu seyn diese Anzeige Betreffend, beurtheilen sie mich nicht kaufmännisch, allein die Konkurrenz darf ich auch als ächter Künstler nicht verachten, bin ich doch dadurch in stand gesezt, meinen Musen treu zu wirken, u. für so manche andere Menschen auf eine edle Art sorgen zu können - die angezeigten werke betreffend müßte die Antwort sehr bald erfolgen.

Euer wolgebohrn Ergebenster

Beethov

An die Verlags Handlung der *Caecilia* in Maynz <u>abzugeben Im Verlage der Hof-Musik-Handlung *B. Schott* Söhne</u>[6]

Quelle: Autograph, 1 Doppelblatt, 3 beschriebene Seiten; Mainz, Archiv des Verlags B. Schotts Söhne (o.S.).
  Die mit * bezeichneten Wörter wurden vom Verlag mit Rötel unterstrichen.

[1] Wasserfleck, unleserlich.
[2] op. 123.
[3] op. 80.
[4] op. 125.
[5] Beethoven plante in dieser Zeit, drei Quartette für den russischen Fürsten Nicolai Galitzin zu schreiben. Keines der Quartette war jedoch begonnen. In der Folge erhielt Schott aber op. 127, das als erstes angefangen und vollendet wurde (s. S. Brandenburg, *Die Quellen von Beethovens Quartett op. 127*).
[6] Der Verlag hat den vorliegenden Brief der Redaktion der Cäcilia „zur Einsicht zugestellt" (s. Nr. 3). Auf der 2. Briefseite finden sich Kommentare von G. Weber und J.J. Schott:
  Rechts seitlich (J.J. Schott): „Was halten Sie von diesen Verlags Artikel? Den Brief *retour* bald möglichst". Mitte (G. Weber): „Ich würde am ehstn zum *Quartett* rathen. das ist Ste[a]k aufm Laden, und dabei kein Schaden sondern ein guter Braten. Ich bin wieder kränklich." Links seitlich (G. Weber): „diesen Brief mogte ich auch wieder zurück haben."
  Unterhalb der Adresse Registraturvermerk: *„Beethoven in Wien* den 10 *Merz* 1824".

3. B. Schott's Söhne an Beethoven

Mainz den 24ten *Mertz* 1824

Euer Hochwohlgebohrn Herrn Kapellmeister!

Dero verehrtes Schreiben vom 10ten dies hatten wir der *Redaction* der *Caecilia* zur Einsicht zugestellt, und beeilen uns nun auch dasjenige zu erwiedern was einzig unser *Intresse* anbelangt.

So gern wir auch alle die 3 uns gütigst *offer*irte *Manus[c]ripten*[1] behielten, so ist es uns dermalen doch nicht möglich, eine so starke Ausgabe auf einmal zu machen. Wir beschränken daher unsern Wunsch, und ersuchen Ihnen uns das *Manuscript* des *Quartet*[2] als Eigenthum allein zum Verlag zu übergeben, wir werden die verlangte 50 *Ducaten* in Gold umgehend nach Empfang übermachen, oder wenn Sie durch ein dortiges HandlungsHauß den Betrag bey Absendung des *Manuscripts* sogleich auf uns wollen entnehmen lassen, so werden wir *prompte* Zahlung leisten, und wünschten jedoch recht bald in Besitz dieses *Manuscripts* zu kommen.

Ihre grose *Solenne* Messe so wie ihre neue *Sinfonie* liegt uns zwar auch sehr am Herzen, und wir würden beyde Werke nur mit grosem Leid, als solche glänzende Sterne, in einem andern *Catalog* als dem unsrigen prangen sehen, und wir fragen daher nochmal bey Ihnen an, daß wenn Sie nicht gesonnen sind an dem *Honorar* nachzulassen, ob Sie wohl geneigt wären das *Honorar* in 4 *terminen* von 6 zu 6 Monath dafür in Empfang zu nehmen? Unter diesen Verhältnißen wagen wir den Verlag dieser sehr grosen und sehr wichtigen Werke, und würden mit Stolz den Verlag derselben mit aller nur möglichen Schönheit ausstatten und zur augenblik-lichen Aufführung in Stimmen nebst der *Partitur* stechen lassen.

Sie werden unsere Aufrichtigkeit nicht mißkennen oder mißdeuten, und wir sehen einer gefälligen Erwiederung bald entgegen.

Mit wahrer Hochachtung und gänzlicher Ergebenheit zeichnen Ihre bereitwilli-gen D[iene]r

B. Schott Söhne

Seiner Hochwohlgebohrn Herrn HofKapellmeister *Ludwig van Beethoven* in *Wien*.

Quelle: Original von der Hand J.J. Schotts, 1 Doppelblatt, 3 beschriebene Seiten; Berlin, Deutsche Staatsbibliothek (aut. 35,72a).

[1] op. 123, op. 125 und op. 127.
[2] op. 127.

4. B. Schott's Söhne an Beethoven

Mainz den 10ten *april* 1824

Euer Wohlgebohrn
Herr Kapellmeister!

Nachträglich unseres Schreibens vom 24ten vor[igen] Monaths wollen wir Ihnen nur noch bemerken, daß die Sicherheit unserer *offer*irten Zahlungen von einem dortigen *Banquier* Ihnen geleistet werden soll, was wir gleich nach Zustimmung ihrer Seits bewerkstelligen wollen; Sollte gegen Vermuthung die gemachte *terminen* Ihnen zu lange währen, so belieben Sie uns nur einen andern angemessenen Vorschlag zu machen, so werden wir uns auch dazu bequemen müssen, da wir dero gütiges *Offerte* ehren, und demselben mit allen unsern Kräften für den Verlag solcher Werke zu entsprechen, uns angelegen seyn lassen werden.

Wir sehen einer geneigten baldigen Zuschrift entgegen, und empfehlen uns mit aller Zuneigung und Hochachtung

B Schott S

Seiner Wohlgebohrn Herrn *Ludwig van Bethoven* HofKapellmeister in *Wien*[1].

Quelle: Original von der Hand J.J. Schotts, 1 Doppelblatt, 1 beschriebene Seite; Berlin, Deutsche Staatsbibliothek (aut. 35,72b).
[1] Beethoven vermerkt mit Bleistift „Maynz".

5. B. Schott's Söhne an Beethoven

Mainz den 19ten *april* 1824

Seiner Wohlgebohrn
Herrn HofKapellmeister *L. v. Bethhoven* in *Wien*

Wir wollen die passende Gelegenheit nicht ungenuzt lassen, um unsere 2 Briefe vom 24 *merz* und 10ten *april* zu erwähnen, welche Sie hoffentlich werden erhalten haben, und worauf wir ihrer gefälligen Antwort entgegen sehen.

Zugleich nehmen wir uns auch die FreyHeit Herrn Kapellmeister *Rummel*[1], welcher mit Seiner D.[urchlaucht] dem Herzog von Nassau[2] diese Reiße nach *Wien* machen konnte, Ihnen in dem Bringer des Gegenwärtigen, als groser Verehrer ihrer Werke, zu empfehlen. Die Hauptabsicht dieser Reiße ist dessen Drang nach Vervollkommnung im Studium der *Composition*, und indem das *Genia*lische, seine frühere Werke bereits ausgezeichnet hat, so kann sein Eifer und groser Fleiß der Kunstwelt nur noch fernerhin Nutzen schaffen; Wesshalb wir so frey sind diesen jungen Mann ihrer Freundschaft und Wohlwollen bestens zu empfehlen, indem Sie demselben allein den rechten Weg zeigen werden, welchen er als Kunstjünger zu wandlen hat, und sich selbst würdig machen wird, einem so grosen Meister wie Sie nachzustreben.

Indem wir uns zu allen Gegendiensten bereit erklären, zeichnen wir mit vollkommenster Hochachtung und Ergebenheit

B. Schott Söhne

Seiner Wohlgebohrn Herrn HofKapellmeister *L v. Bethhoven* in *Wien*

Quelle: Original von der Hand J.J. Schotts, 1 Doppelblatt, 2 beschriebene Seiten; Berlin, Deutsche Staatsbibliothek (aut. 35,72c).

[1] Christian Rummel (1787–1849), von 1815 bis 1842 Kapellmeister bei Wilhelm Herzog von Nassau in Wiesbaden, war als Pianist, Geiger, Klarinettist und Komponist tätig. Er arrangierte Beethovens op. 127 für Klavier zu 4 Händen (Schott, PN 2475). Der Plan, auch op. 125 für zwei Klaviere zu bearbeiten, wurde nicht verwirklicht.
[2] Wilhelm Herzog von Nassau (1792–1839) weilte zwischen dem 28. April und dem 11. Juni 1824 in Wien.

6. B. Schott's Söhne an Beethoven

Mainz den 27 *April* 1824

Euer Wohlgebohrn Herrn Kapellmeister!

Wir nehmen uns die Freyheit Euer Wohlg zu benachrichtigen, daß wir gestern das Vergnügen hatten durch Vermittlung des Herrn *S.A. Steiner & Cie*[1] dorten, ein kleines *paquet* welches das erste Heft der neuen Zeitschrift *Caeciliae* enthält an Ihnen abzusenden. Wir empfehlen dieses Unternehmen wiederholt ihrer Gütigen Aufnahme, und wünschten daß Sie der Auffoderung der *Redaction* wo möglich, auch selbst mit dem kleinsten Beytrag, entgegenkommen mögten.

Wir werden mit gröstem Dank erkennen, und das verlangt werdende *honorar* berichtigen, erwartungsvoll sehen wir jedem entgegen.

Auch unserer beyden Briefe vom 24. *Mertz* und 10ten *april* wünschen wir sehnlichst eine Rükantwort. Wenn Sie uns das *Quartet*[2] nur allein, um den verstandenen Preiß überlassen, so haben Sie doch sicher einen dortigen Handelsfreund, welcher die Übersendung des *Manuscripts* gegen Empfang des Betrags von uns hierher besorgen wird, und wir sind in baldiger Erwartung dieses Kunstwerks, wenn Sie desshalb uns keinen anderen Antrag zur dortigen Zahlung machen wollen.

Unser gröster Wunsch ist jedoch, uns als Verleger aller 3 angebothener Werke[3] ansehen zu können, worüber wir noch immer einer freundschaftlichen zusagenden Antwort von Ihnen entgegen sehen.

An dem verlangten Preiße sind wir nie gewöhnt dem Künstler etwas abzubrechen, allein um als ehrliche Leute das versprochene auch leisten zu können, und das eigne Geschäft nicht zu sehr zu *geni*ren, so machten wir an Ihnen unsere *offerte* auf *termin* Zahlungen, welche Sie jedoch zu Bestimmen belieben, wenn Ihnen die vorgeschlagene zu lange dauern. Wir werden auf Verlangen dafür Sorge tragen daß ein dort wohnendes *Banquier* Hauß für Ihre Foderung Ihnen *garanthie* leistet.

Haben Sie die Gefälligkeit diesen Gegenstand einiger Zeilen Antwort zu würdigen, und uns aus dieser Ungewißheit heraus zu ziehen, worin wir uns befinden.

Unsere Zudringlichkeit werden Sie entschuldigen, Ihrer von uns Hochgeschätzten *offerte* müssen Sie es anrechnen.

Die Ihnen verursachte Brief*porti* werden wir zurükvergüthen, wir können hier nur bis an die Grenze von Oestreich zahlen, was bey jedem Briefe dahin auch bezahlt werden muß.

Wir verharren mit aller Hochachtung Ihre ergebenste Freunde und Verehrer

B. Schott Söhne

Seiner Wohlgebohrn Herrn *Lud. van Beethoven* K.K. HofKapellmeister in *Wien franco*

Quelle: Original von der Hand J.J. Schotts, 2 Blätter, 3 beschriebene Seiten; Berlin, Deutsche Staatsbibliothek (aut. 35,72d).

[1] Sigmund Anton Steiner (1773-1838) übernahm die 1803 von Alois Senefelder (1771–1834) gegründete chemische Druckerei in Wien, bezog 1805 das Haus Nr. 612 in der Paternostergasse und erweiterte seinen Betrieb 1806 zu einer Musikalienhandlung. 1814 trat Tobias Haslinger (1787–1842) dem Musikverlag bei, zunächst als Buchhalter, seit 1815 als Associé. 1826 übernahm er den Verlag selbständig, Steiner zog sich zurück. Die Beziehungen zu Beethoven reichen bis ins Jahr 1814 zurück. Sie waren besonders eng zwischen 1815 und 1817. In den späteren Jahren wurde das Verhältnis durch Schuldforderungen Steiners, die Beethoven nicht erfüllen konnte, getrübt. Hieraus resultierten Beethovens Ausfälle gegen Steiner und seine zwiespältige Haltung gegenüber Haslinger.
[2] op. 127.
[3] op. 123, op. 125 und op. 127.

7a. Beethoven an B. Schott's Söhne

Wien den [20.][1] May 1824

Herrn *B. Schott* Söhne in Mainz.
Euer Wohlgebohren!

Auf Ihre verehrte Zuschrift vom 27ten v.[origen] M.[onats] habe ich die Ehre Ihnen mitzutheilen, daß ich nicht entgegen bin, Ihnen meine grosse Messe und die neue *Symphonie*[2] zukommen zu lassen. Der Preis der ersteren ist 1000 f *Conv. Münze*, und der letzteren 600 f *Conv. Münze* nach dem 20 fl Fusse. Die Zahlung kann damit *arrangiret* werden, daß Sie mir 3 Wechsel an ein hiesiges sicheres Haus einschicken, welches solche *acceptiret*, und wornach ich Ihnen die Werke auf Ihre Spesen einsenden oder allhier an Jemanden, den Sie mir anzeigen wollen, aushändigen werde. Die Wechsel können auf folgende Zeit gestellet werden, als die 600 f auf 1 Monath, 500 f auf zwey Monathe und 500 f auf vier Monathe von jetzt. Sollte Ihnen dieß *conveniren*, so wird es mir angenehm seyn, wenn Sie die Auflage recht gefällig ausstatten. Indessen habe ich die Ehre mit aller Hochachtung zu geharren Dero bereitwilliger

ludwig *van Beethoven*[3]

Quelle: Original von fremder, nicht identifizierter Hand, Unterschrift von Beethoven, 1 Blatt, 2 beschriebene Seiten; Mainz, Stadtbibliothek (Hs III 71, Nr. 2).

[1] Der Platz für eine Tagesangabe ist ausgespart, da Beethoven den Brief im Auftrag schreiben ließ und das Datum der Absendung offenbar noch nicht feststand.
[2] op. 123 und op. 125.
[3] Registraturvermerk: *„Bethoven in Wien den 20 May 1824"*.

7b. Beethoven an B. Schott's Söhne

[Wien, 20. Mai 1824]

Euer wohlgebohrn[1]!

Es war unmöglich, ihnen eher zu antworten, da ich zu überhäuft bin[2]. ich ‹ließ› habe durch einen GeschäftsMan diesen beygefügten Brief schreiben laßen[3], da ich wenig bewandert in d.g., wenn ihnen diese vorschläge recht sind, so schreiben sie ‹mich› mir aber sehr bald, denn ‹zwei› andere verleger[4] wünschen jeder eins von diesen werken, ich muß aber ‹sorgen› sagen, daß mir die so sehr angewachsene Korrespondenz mit dem in- u. Ausland wirklich beschwerlich wird, u. ich d.g. vereinfacht wünschte – wegen einem *quartett*[5] kann ich ihnen noch nicht sicher zusagen, diese beyden werke[6], wenn sie mir baldigst antworten, könnte ich ihnen

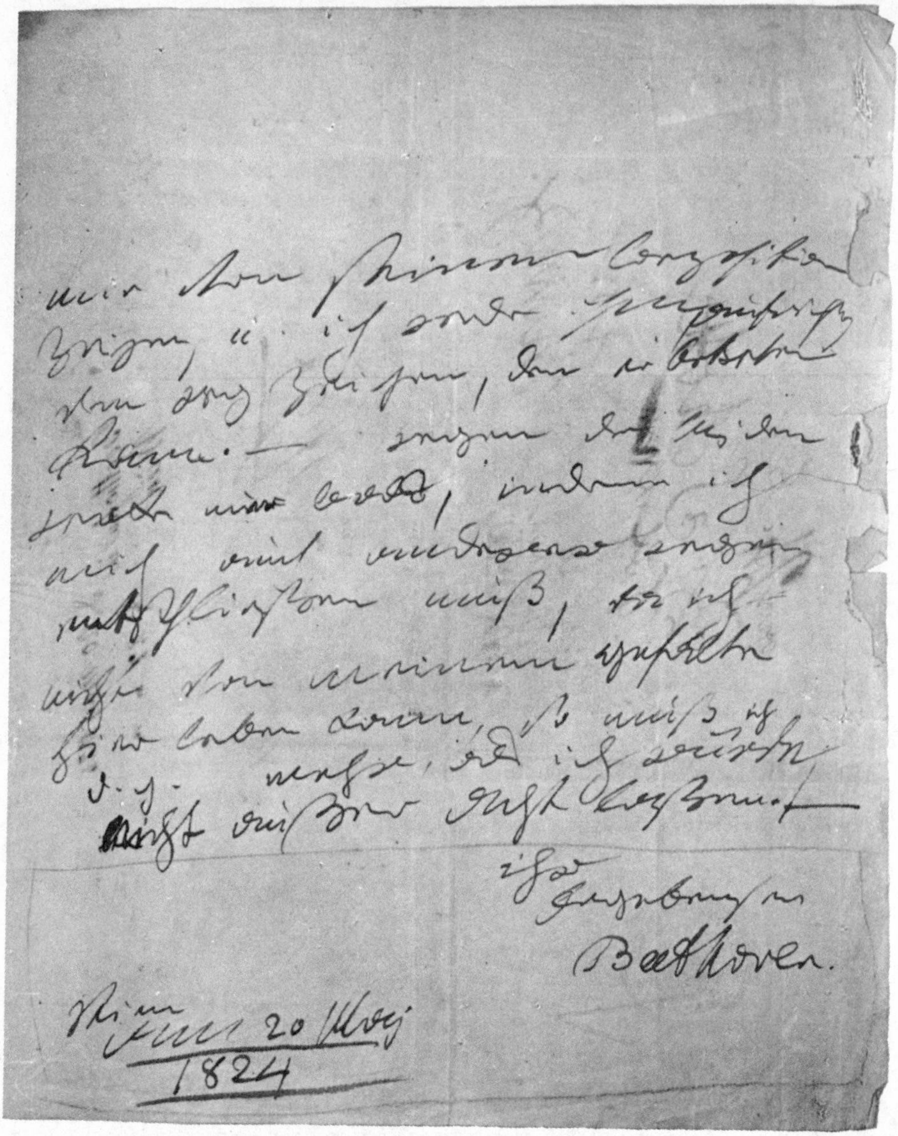

Abb. 2: Brief Nr. 7b, vierte Seite
(Handschrift von Ludwig van Beethoven)

als denn noch sicher überlaßen - von ihrer *caecilia* erhielt ich noch nichts sie muß erst unsere *Censur* paßiren!!! –

Leben sie wohl ihr mir empholener[7] wird übermorgen mir von seinen *Compositionen* zeigen, u. ich werde ihm aufrichtig den weg zeigen, den er betreten kann. - wegen den beyden werken nur bald, indem ich mich auch anderer wegen entschließen muß, da ich nicht von meinem Gehalte hier leben kann, so muß ich d.g. mehr, als ich würde, nicht außer acht laßen.

ihr Ergebenster

Beethoven

vien <u>am 20 May 1824</u>

An Die Hr. *B. Schott* Söhne in Mainz. <u>Kunst u. Musikal.</u> ‹Verleger› Händler[8]

Quelle: Autograph, 1 Doppelblatt, 3 beschriebene Seiten; Mainz, Stadtbibliothek (Hs III 71, Nr. 1).
Montagefaksimile: Cäcilia 1 (1824), nach S. 274.

[1] Die Anrede, ferner die Passage „von ihrer *caecilia*" bis „Leben sie wohl" und die Schlußfloskel, „ihr Ergebenster" bis „<u>1824</u>", wurden von Weber mit Rotstift eingerahmt. Er schreibt hierzu, ebenfalls mit Rotstift, am oberen Rand der ersten Briefseite: „Was halten Sie davon wenn man als *faksimile* von *Beethovens* Handschrift die roth eingefaßten Stellen zusammensetzen und nachmachen ließe?" Der Vorschlag wurde verwirklicht in Cäcilia 1 (1824).
[2] Wegen der Akademie vom 7. Mai und den Vorbereitungen zur 2. Akademie am 23. Mai.
[3] s. Nr. 7a.
[4] Praktisch jeder Verleger, der mit Beethoven in Verbindung stand, wurde wegen op. 123 angesprochen, so: N. Simrock (10.2.1820; KK 953), A.M. Schlesinger (12.12.1821; And 1063), C.F. Peters (5.6.1822; KK 1019), Artaria & Co. (22.8.1822; KK 1031), Moritz Schlesinger (25.2.1824; And 1267) und H.A. Probst (10.3.1824; KK 1190). Probst wurde auch op. 125 angeboten (25.2.1824; And 1266).
[5] op. 127.
[6] op. 123 und op. 125.
[7] Christian Rummel, s. Nr. 5.
[8] Zusätzliche Vermerke des Verlags auf dieser Briefseite; am rechten Rand mit Bleistift: „den Brief wünschen wir *retour*". Unter der Adresse der Registraturvermerk: „*Beethofen in Wien.* den 20 *May* 1824/den 27 [May 1824]".

8. B. Schott's Söhne an Beethoven

[Mainz, 27. Mai 1824]

[Der Verlag fragt erneut nach op. 127, op. 123 und op. 125.]

Quelle: Original nicht bekannt; Brief erschlossen aus Registraturvermerk von Nr. 7b und aus Nr. 9.

9. Beethoven an B. Schott's Söhne

Vien am 3ten juli [1824]¹

P.P.

Es war mir unmöglich ihnen eher auf ihr leztes vom 27ten May zu schreiben, auch jezt nur das nöthigste: ich bin bereit ihnen auch das *quartett*² zu schicken u. zwar um das *honorar* von 50#, wie ich es ihnen auch schon früher angesezt habe³, das *quartett* erhalten ‹können› Sie ganz sicher binnen 6 wochen⁴, wo ich ihnen anzeigen werde, wann sie mir das *Honorar* dafür übermachen können; - bey den übrigen 2 werken⁵ bleiben schon die 3 festgesezten *termine*, Sie haben nur die Güte die wechsel wie ausgemacht ist ‹für› vorerst für die 2 Werke an ihren *Banquier* zu schicken, wo ich selbe abhohlen u. dagegen die Benannten 2 werke nemlich: Die große Meße u. große *Sinfonie* abgeben werde, mit dem Quartette bleibts wie schon eben vorher angezeigt. - wegen den Absendungen aufm Postwagen sind eben die Auslagen nicht so sehr groß, u. ich werde schon dem *Banquier* anzeigen, wie man es am besten u. wohlfeilsten haben kann. –

So gern ich ihnen noch manches sagen mögte so ist es vor Überhäufung von Beschäftigung nicht möglich, ich behalte mir das vergnügen hierin auf ein andermal bevor. – Ich erwarte nun bald das *Aviso* –
mit herzlicher Ergebenheit ihr Freund

*Beethoven*⁶

An Herrn B. *Schott* Söhne *Grhzl. Hess. Hofmusik-Verlag* und *Handlung. Weyergarten* in *Mainz*⁷

Quelle: Autograph, 1 Doppelblatt, 2 von Beethoven beschriebene Seiten, 3. Seite von J.J. Schott; Mainz, Stadtbibliothek (Hs III 71, Nr. 14).

¹ Die Jahreszahl erschließt sich aus dem Registraturvermerk des Verlags (s. Anm. 7) und aus einer in den Konversationsheften entworfenen Passage dieses Briefes („wir schreiben folgendes Sie haben die Güte die Wechsel . . .“), die Anfang Juli 1824 geschrieben sein muß (s. BKh Bd. 6, S. 292).
² op. 127.
³ s. Nr. 2.
⁴ Die Stichvorlage von op. 127 erhielt Schott erst Mitte April 1825 (vgl. BKh Bd. 7, S. 217, 218 und Anm. 501 auf S. 401; s. auch Nr. 31).
⁵ op. 123 und op. 125.
⁶ J.J. Schott notierte auf der folgenden Briefseite mit roter Tinte:
„Beyfolgender Brief zur Einsicht, und um deren zurük Sendung wir Ihnen höflichst ersuchen.
Wir erwarten täglich die *Manuscripten* von Messe und *Sinfonie* das *Quartet* werden wir nächsten Monath erhalten.
Es wird uns recht angenehm seyn, wenn Sie mit allem Feuer ihres Geistes die Ankündigung solcher Kunstwerke in der *Caecilia* verkündigen wollen.
Wir geben diese 3 Werke in *Partitur* und in ausgesezten Stimmen heraus, wegen andern *arrangements* werden wir später uns entschließen. Wir haben die Absicht diese Werke auf

Subscription anzukündigen und herauszugeben, und ersuchen Ihnen für diese Absicht uns eine rechte *brillante* Ankündigung oder Auffoderung zu entwerfen welche wir ins Französche und Italienische übersetzt in alle Länder und an alle hohe Häupter versenden wollen. Indem die Messe schon 4 der grösten *Monarchen dediz*irt [gemeint: von ihnen subskribiert] ist so hoffen wir auch dadurch bey denselben einen Absatz zu bewerkstelligen, und dieselben auch für die Abnahme der anderen Werke zu gewinnen suchen.

Die Nahmen aller *Subscribenten* werden +jedem Werke+ vorgedruckt, und dieses könnte doch manchen veranlassen, *Beethofen* zu Ehren der *Subcription* beyzutretten.

Ihre Ansicht darüber geben Sie uns zu erkennen und zugleich die Hoffnung daß Sie den Entwurf der Ankündigung und Auffoderung übernehmen wollen."

Vermutlich wendete sich Schott mit diesem Schreiben an Weber.

Die Subskriptionsaufforderung erschien im Intelligenzblatt Nr. 7 zur Cäcilia von 1825 (S. 43) und im Mai 1825 im Intelligenzblatt Nr. 4 zur Leipziger Allgemeinen Musikalischen Zeitung.

[7] Die Adresse stammt von der Hand Johann van Beethovens. Unmittelbar über der Adresse von anderer Hand: „v. Wien" und darüber Registraturvermerk: *„v Beethoven in Wien* den 3 *Juli* 1824/19 [Juli 1824]".

10. B. Schott's Söhne an Beethoven

Mainz den 19ten *Juli* 1824

Herrn *Lud. v. Beethoven* Wohlg in *Wien*
Hochgeehrtester Herr Kapellmeister!

Dero verehrte Zuschrift vom 3ten dies zu erwiedern, wollen wir nun nicht länger versäumen, da wir mit dortigem Handlungs Hauß Herrn *Fries & Compie*[1] die Einrichtung getroffen, daß dieselben die Zahlungen nach den von Ihnen bestimmten *terminen* auf unsere ausgestellten Wechseln leisten, Welche dieselben Ihnen zustellen werden, wogegen Sie die Güte haben wollen die beyde *Manuscripten*[2] nemlich die grose Messe und die neue grose *Symfonie* an Herrn *Fries & Cie* zu übergeben.

Belieben Sie beyde Werke jedes mit einem Bindfaden zu umbinden und mit ihrem Siegel zu versehen.

Den Verlag der beyden Werken werden wir ohne Aufschub vornehmen, und die *Partituren* zugleich mit dem Klavier Auszug und einzeln Stimmen, zusammen dem Puplikum übergeben.

Wir hoffen deutliche und *Corecte* Abschriften der *Partituren* zu erhalten, welchen Sie alle Bemerkungen gefälligst beyfügen wollen, die dem Stecher zu wissen allenfals nöthig sein könnten.

Auf die *corecturen* werden wir die gröste Sorgfalt verwenden, und wenn Sie vieleicht selbst die lezte *Corectur* übernehmen wollten, so haben Sie die Güte es uns wissen zu lassen.

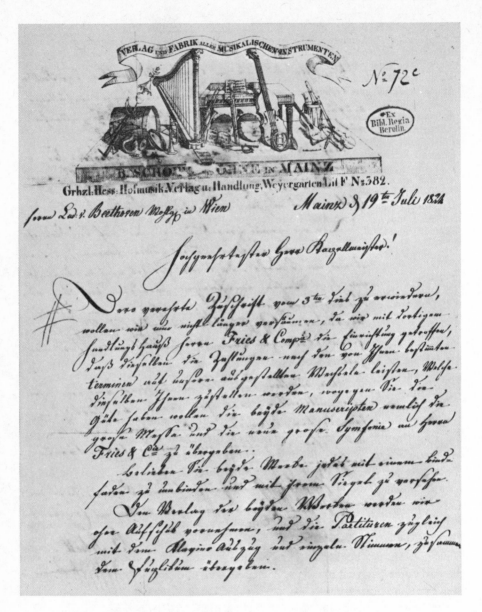

Abb. 3: Brief Nr. 10, erste Seite
(Handschrift von Johann Joseph Schott)

Da wir gemäs ihrer Zusage, auch auf das *Violin Quartet*[3] nun als unser Eigthum sicher zählen können, so freute es uns um so mehr, daß wir solches auch in der Zeit von Sechs Wochen empfangen werden, und Sie können Sich versichert halten, daß nach dem von Ihnen bestimmten Zahlungs*termin* solches durch die Herrn *Fries & Co* eben so pünktlich geleistet werden soll.

Wir wünschten daß Sie uns in dero nächstem Schreiben alles mittheilten, was ihre starke Beschäftigung in dem lezten Schreiben nicht zu sagen erlaubte, und sehen demselben mit ‹mit› wahrer Freude entgegen.

In dero Gewogenheit und Freundschaft uns empfehlend, zeichnen wir mit Achtung und Ergebenheit

B. Schott S.

Seiner Hochwohlgebohrn Herrn *Lud. von Beethoven* Königl. Kais. Hof Kapellmeister *Wien*[4]

Quelle: Original von der Hand J.J. Schotts, 2 Blätter, 2 beschriebene Seiten; Berlin, Deutsche Staatsbibliothek (aut. 35,72e).

[1] Das Bankhaus Fries war eines der bedeutendsten Großhandelshäuser in Wien. Die aufwendige Lebensführung des Inhabers, Moritz Graf Fries (1777–1826), führte 1826 zum Bankrott. Fries war einer der Direktoren der österreichischen Nationalbank. Er schied bereits 1824 aus dem Bankgeschäft aus und verließ Österreich (vgl. BKh Bd. 7, Anm. 160). Als Kunstsammler und Musikfreund war er einer der ersten Mäzene Beethovens, wovon zahlreiche Widmungen an Fries zeugen. Der persönliche Kontakt geht bereits in die frühe Wiener Zeit zurück. In späteren Jahren beschränkte sich die Verbindung auf den geschäftlichen Bereich.

[2] op. 123 und op. 125.

[3] op. 127.

[4] Mit Bleistift seitlich von Beethovens Hand zweifach: *„Schott"*. Neben der Adresse mit Bleistift von Tobias Haslinger abermals: *„Schott"*.

11. B. Schott's Söhne an Fries & Co

[Mainz, 12. August 1824]

[Der Verlag schickt dem Bankhaus einen neuen Wechsel auf 500 Gulden für Beethoven, da ein früherer Wechsel verfallen war[1].]

Quelle: Original nicht bekannt; Brief erschlossen aus Nr. 16.

[1] Beide Wechsel waren vermutlich als Honorar für op. 123 und op. 125 gedacht. Der frühere Wechsel war anscheinend verfallen, weil Beethoven die beiden Werke noch nicht abgeliefert hatte.

12. B. Schotts's Söhne an Beethoven

[Mainz, 19. August 1824]

[Der Verlag fragt nach op. 123 und op. 125 und benachrichtigt Beethoven von dem „umgeänderten Wechsel", den er am 12. August dem Bankhaus Fries übersandt hatte.]

Quelle: Original nicht bekannt; Brief erschlossen aus Nr. 13 und Nr. 16. Als weiteres Indiz kann ein Gespräch zwischen Beethoven und dem Neffen gelten, das Ende August/Anfang September 1824 geführt wurde (BKh Bd. 6, S. 315). Es behandelt den Austausch der Manuskripte gegen den Wechsel und geht vermutlich auf den kürzlich eingetroffenen Brief des Verlags (abgeschickt am 19.8., angekommen etwa am 27.8.) zurück.

13. Beethoven an B. Schott's Söhne

Baden nächst Vien am 17ten *septemb.* 1824[1]

Euer wohlgebohrn!

Ich melde ihnen nur, daß ich ihren Brief vom 19ten *aug*[2] gar nicht erhalten, woher dieses rührt, ist mir bis jezt noch unerklärbar, auf ihr leztes Schreiben enthaltend die Anzeige an das Fries. Hauß u. *Compag.*[3] können sie versichert seyn, daß sobald ich von hier aus nach Vien, welches spätestens Ende dieses Monaths seyn wird[4], mich begeben werde, sogleich die *Copiaturen* beyder werke[5] so schnell als möglich besorgen werde auch das *quartett* erhalten sie sicher bis hälf[t]e Oktob. gar zu sehr überhäuft u. eine schwache Gesundheit muß man schon etwas Geduld mit mir haben; hier bin ich meiner Gessundheit ‹wegen› oder vielmehr meiner Kränklichkeit wegen, doch hat es sich schon gebessert Apollo u. die Musen werden mich noch nicht dem KnochenMann überliefern laßen, denn noch so vieles bin ich ihnen schuldig, u. muß ich vor meinem Abgang in die Elesaischen Felder hinterlaßen, was mir der Geist eingibt u. heißt vollenden, ist es mir doch, als hätte ich kaum einige Noten geschrieben. ich wünsche ihnen allen guten Erfolg ihrer Bemühungen für die Kunst, sind es diese u. wissenschaft doch nur, die unß ein höheres Leben andeuten u. hoffen laßen. – bald mehreres –
Eiligst Eur wohlgebohrn Ergebenster

Beethoven

An die Herrn B. Schott Söhne in Maynz abzugeben in der Hofmusikhandlung[6]

Quelle: Autograph, 2 Blätter (1 Doppelblatt), 3 beschriebene Seiten; Mainz, Stadtbibliothek (Hs III 71, Nr. 4).
Teilfaksimile: Cäcilia 6 (1827), nach S. 312.

[1] Die Datumszeile wurde vom Verlag herausgerissen und rechts oben auf die Rückseite des 1. Blattes geklebt. Stattdessen trug Schott auf fol. 1r links oben das Datum „1824 den 17ten 7ber Beethoven" nach und kreiste es ein. Über dem nun auf fol. 1v haftenden Originaldatum vermerkte er: „Zur Cäcilia Bd. 6 Hft. 24". Ferner wurden die Zeilen ab „mich begeben" bis „besorgen werde" mit Rötel durchstrichen. Der Abschnitt „auch das *quartett* . . . Ergebenster *Beethoven*" wurde zusammen mit dem Datum faksimiliert und erschien mit einer Übertragung in der Cäcilia 6 (1827), S. 311 und nach S. 312.

[2] s. Nr. 12.

[3] s. Nr. 10.

[4] Beethoven blieb jedoch bis in die ersten Novemberwochen in Baden (s. K. Smolle, S. 81).

[5] Nur op. 123 wurde erneut abgeschrieben. Die Stichvorlage von op. 125 war eine ältere Kopie, die sich Beethoven schon im Frühjahr 1824 hatte anfertigen lassen (s. auch Nr. 24).

[6] Die Adresse stammt von der Hand des Neffen. Unterhalb der Adresse Registraturvermerk: „*Beethoven in Baden bey Wien.* d. 17t *Sept. 24.*"
Rechts und links von der Adresse folgende Bemerkungen von J. J. Schott und G. Weber:
Rechts (Schott): „Gestern Abend verbreitete sich mit *Rebmanns* Tod auch jene unsers Kupferstecher *Schalk*, heute wird die sichere Nachricht wegen lezterm einlaufen"; Georg Friedrich Rebmann (1768-16.9.1824), Präsident des Kriminalgerichts zu Mainz, s. R. Kawa, *Georg Friedrich Rebmann*; Heinrich Franz Schalk (1791-15.10.1832), Miniaturmaler und Kupferstecher, vgl. Thieme-Becker, Bd. 29, S. 568.
Links (Schott): „Heute fand ich bei meiner hierherkunft den Bethhofen den die Post eben brachte.
Die Ursache warum wir die *Partituren* noch nicht haben ersehen Sie, und daß wir nun auch bald solche erhalten, erfahren Sie ebenfals.
Der Schluß des Briefs ist wirklich werth bekannt zu werden."
Weber: „deswegen schicken Sie mir ihn nach gemachten Gebrauche wieder zurück."
Schott: „*NB Bethofen* könnte wohl manchem mus.[ikalischem] Rechenmeister von seinem Überfluß an *fantasie* abgeben, und hätte dann noch genug."

14. Beethoven an B. Schott's Söhne

Vien am 16ten *Novemb* 1824

Euer Wohlgebohrn!

Meine Antwort auf ihr leztes[1] blieb lange aus, da ich auf'm Lande erkrankte, jedoch nun wieder ziemlich hergestellt bin – ich melde ihnen daher nur daß bis übermorgen die beyden werke[2] an Frieß u. *Compag* abgegeb. werden, bis Ende dieses Monathes folgt auch das *quartett*[3], Lieb wär es mir wenn ich bis dahin ‹wenn› das dafür bestimmte *Honorar* eben allda gegen Einhändig.[ung] des Quartettes empfangen könnte –

für heute ist es mir nicht möglich ihnen noch etwas anderes zu sagen, als daß ich ihnen in einigen Tägen wieder schreiben werde[4], wo ich ihnen einen antrag machen werde, welcher ihnen vieleicht angenehm seyn wird. –
Mit Achtung u. Freundschaft ihr Ergebenster

Beethoven

An die Herrn *B. Schott* Söhne Grhzl Hess. HofMusik-Verlag u. Handlung in Maynz Weyergarten Lit. *F.N*-382[5]

Quelle: Autograph, 1 Doppelblatt, 2 beschriebene Seiten; San Jose, Kalifornien, Ira F. Brilliant Center for Beethoven Studies, San Jose State University (o.S.).
Faksimile: 19th Century Music 8 (1984) S. 183.

[1] Es ist nicht geklärt, auf welchen Brief Beethoven sich bezieht. Wahrscheinlich handelt es sich um ein verschollenes Schreiben, denn die bekannten früheren Briefe von Schott wurden sämtlich beantwortet.
[2] op. 123 und op. 125.
[3] op. 127.
[4] s. Nr. 15.
[5] Registraturvermerk: „*Beethoven* in *Wien* den 16 *Nov* 24/30 [Nov 24]".

15. Beethoven an B. Schott's Söhne

[Wien, ca. 23. November 1824][1]

Euer wohlgebohrn!

Mit Bedauren melde ich ihnen, daß Es noch etwas länger zugehn wird mit Abschickung der werke, Es war eben so viel nicht mehr zu übersehen in den abschriften, allein da ich den Sommer nicht hier zubrachte, so muß ich jezt dafür alle Tage 2 Stunden Lekzion geben bey Sr. Kaise[r]l. Hoheit dem Erzerzog rudolph[2], dies nimmt mich so her, daß ich beynahe zu allem andern unfähig bin, u. dabey kann ich ich nicht leben von dem, was ich einzunehmen habe, wozu nur meine Feder helfen kann, ohnerachtet deßen nimmt man weder rücksich[t] auf meine Gesundheit noch meine kostbare Zeit –. ich hoffe, daß dieser Zustand nicht lange währe, wo ich sodann das wenige, was zu übersehen sogleich vornehme, u. ihnen die Beyden werke[3] sogleich übermacht werden –
vor einigen Tägen erhielt ich einen antrag in rücksicht ihrer worin es heißt „daß eine auswärtige Musikhandlung gesonnen sey, alsogleich 50 *Exemplare* von beyden werken von ihnen zu nehmen, u. sich noch dazu mit ihnen zu verbinden, um den Nachstich zu verhüthen"[4] ich leugnete die ganze Sache geradezu, denn ich

habe schon bittere Erfahrungen in d.g. (vieleicht nur Spionereyen) gemacht, wollen sie aber So etwas, so will ich mich mit vergnügen näher erkundigen –

nun von einem andern Antrage: Mein Bruder[5], dem ich durch Gefälligkeiten verbunden, habe ich statt einer ihm Schuldigen *Summe* folgende werke überlaßen[6] nehmlich die Große *overture*[7] welche bey meiner Akademie hier aufgeführt wurde, 6 Bagatellen <u>oder Kleinigkeiten für Klawier allein</u>[8], von welchen ‹wohl› manche etwas ausgeführter u. wohl die Besten in dieser Art sind, welche ich geschrieben habe – Drey Gesänge, wovon zwei mit chören u. ‹das› die Begleitung von einem vom Klawier[9] allein oder mit Blasenden Instrumenten allein[10], vom andern die Begleitung mit dem ganzen Orchester oder mit Klawier allein[11], ‹das› der 3te gesang ganz ausgeführt ist bloß mit Klawier allein[12], - die *overture* hat schon 2 Klawier Auszüge einen zu 2 u. einen zu 4 Händen[13], welche Sie beyde erhalten – Mein Bruder verlangt für alles zusammen 130# in Gold als *Honorar*[14], da er Gutsbesizer u. wohlhabend ist, ist es ihm ganz gleichgültig, wie sie es mit ‹die› dem Termine der ausbezahlung halten wollen, er überläßt dieses nach ihrer Gemächlichkeit[15] zu veranstalten, nur bitte ich Sie recht sehr, mir sogleich hierüber eine Antwort zu geben, denn auch ein anderer mögte diese Werke haben (ohne Großsprecherei, welche nie meine Sache ist). Es ist daher Eile nöthig, ich habe geglaubt daß es ihnen vielleicht nicht unlieb sey, eine größere Folge meiner Werke zu besitzen und deswegen meinen Bruder um Aufschub in dieser Angelegenheit gebethen. Sowohl wegen dem Quartett als wegen den beiden anderen Werken sorgen Sie sich nicht, bis die ersten Täge des anderen Monaths wird alles abgegeben werden. Von meinem offenen Charakter werden Sie sich schon überzeugt haben, denken Sie daher ja keine List, Hinterhalt etc. Wer weiß, welche große Verbindung noch zwischen uns stattfinden kann! –

Wie immer der Ihrige   Beethoven

Quelle: Autograph, 1 Doppelblatt, 4 beschriebene Seiten; Mainz, Stadtbibliothek (Hs III 71, Nr. 5). Der Text bricht mit „. . . Gemächlichkeit" ab; es ist offenbar ein Blatt verlorengegangen. Das Fehlende nach Nohl II, S. 275.

[1] Von fremder Hand in der rechten oberen Ecke der ersten Seite: „Nov 1824". Möglicherweise liegt dem Datum ein Registraturvermerk auf dem verlorengegangenen letzten Blatt des Briefes zugrunde. Veranlassung dieses Briefes war möglicherweise eine Mahnung des Bankhauses Fries, vgl. Nr. 16 sowie die Ankündigung in Nr. 14. Der vorliegende Brief wurde mit großer Wahrscheinlichkeit am 30. November (Nr. 17) zusammen mit Nr. 14 beantwortet und muß daher etwa eine Woche zuvor in Wien aufgegeben worden sein, vgl. auch Nr. 17, Anm. 1.

[2] Erzherzog Rudolph (1788–1831), Bruder des Kaisers Franz I., seit 1819 Kardinal-Erzbischof von Olmütz, gewährte Beethoven 1809 zusammen mit den Fürsten Ferdinand Kinsky und Franz Joseph Lobkowitz eine Jahresrente von 4000 Gulden. Beethoven unterrichtete ihn seit 1809 in Generalbaß, Kontrapunkt und Komposition und widmete seinem Schüler zahlreiche Werke (s. KH S. 776; vgl. auch S. Kagan, *The Music of Archduke Rudolph*). Im Hinblick auf die Inthronisation Rudolphs zum Erzbischof von Olmütz (19. März 1820) unternahm Beethoven die Komposition der Missa solemnis. Sie wurde freilich erst 1823 vollendet.

[3] op. 123 und op. 125.

[4] Es ist nicht bekannt, von wem dieser Antrag ausging. Möglicherweise kam er von Moritz Schlesinger in Paris, dessen Interesse an op. 123 verschiedentlich belegt ist (z.B. And 1267).

[5] Nikolaus Johann van Beethoven (1776–1848) erlernte in Bonn den Apothekerberuf. 1795 zog er nach Wien. 1808 konnte er sich selbständig machen und erwarb die Apotheke „Zur goldenen Krone" in Linz sowie gleichzeitig die Konzession für eine Apotheke in Urfahr. 1812 heiratete er gegen den Willen seines Bruders Therese Obermayer. 1819 verkaufte er die Apotheke in Linz und erwarb am 2.8. desselben Jahres ein Landgut ("Wasserhof") in Gneixendorf bei Krems. Das Gut behielt er bis 1836 und lebte wechselnd in Wien, Gneixendorf und Urfahr (vgl. J. Schmidt-Görg, *Beethoven. Die Geschichte seiner Familie*, S. 63ff.).

[6] Johann hatte seinem Bruder im Sommer 1822 ein größeres Darlehen gewährt, wofür er sich zur Sicherheit mehrere Werke überschreiben ließ (vgl. S. Brandenburg, *Ludwig van Beethoven. Sechs Bagatellen*, Teil 2 S. 48ff.).

[7] op. 124.

[8] op. 126.

[9] Beethoven stellte durch Numerierung die Wortfolge um: vom(3) Klawier(4) von(1) einem(2).

[10] op. 122.

[11] op. 121b.

[12] op. 128.

[13] Beide Klavierauszüge wurden von Carl Czerny erstellt (s. Nr. 26 und KK 1247) und erschienen im April bzw. Juli 1825 bei Schott (PN 2270 und PN 2314).

[14] Dieselben Werke hatte Beethoven bereits am 25. Februar 1824 (And 1266) H.A. Probst angeboten. Nach kurzer Verhandlung hatte er einem Honorar von 100 Dukaten zugestimmt. Ein späteres Zerwürfnis bestimmte ihn jedoch, sich an einen anderen Verleger zu wenden. Angebote des Bruders gingen auch an den Wiener Verleger Max Joseph Leidesdorf und, zur Vermittlung, an Johann Andreas Stumpff in London (s. A. Tyson, *New Beethoven Letters and Documents*, S. 26, 29 und Addenda in Beethoven Studies 3, sowie S. Brandenburg, *Ludwig van Beethoven. Sechs Bagatellen*, Teil 2, S. 67f.).

[15] Der folgende Text nach Nohl II, 275, dem anscheinend das heute fehlende 3. Blatt des Autographs vorlag. Alle späteren Editionen gehen auf Nohl zurück.

16. Fries & Co. an B. Schott's Söhne

Wien den 27 Novb 1824

Herren *B. Schott* Söhne in *Mainz*

Wir empfiengen seiner Zeit Ihr Werthes vom 12 *August* mit dem umgeänderten Wechsel für f 500- °/.[1] *v. Beethoven*.

Dieser *Compositeur* hat uns bis heute noch immer Nichts für Sie übergeben, und wir haben ihn deshalb aufgefordert uns eine Erklärung zu geben.

Mit Ihrer Zuschrift vom 13. d.[ieses] übermachen Sie uns

20r f 350-[2] in 14 *Coupons* f 25- per 1 Dezbr

wovon wir den Eingang in Ihr Haben besorgen werden.

Sobald wir eine bestimmte Antwort von Herrn v. *Bethoven* haben werden, theilen wir sie Ihnen mit; Inzwischen zeichnen wir ergebenst

Fries & co[3]

Quelle: Original von nicht identifizierter Hand, 1 Blatt, 1 beschriebene Seite; Mainz, Archiv des Verlags B. Schott's Söhne (o.S.).

[1] In der Handelssprache gebräuchliches Kürzel für „Order, Ordre", meint „im Auftrag für".
[2] 350 Gulden im 20er Fuß. Die Überweisung steht anscheinend nicht mit einer Honorarzahlung an Beethoven in Verbindung. Es wurde daher verzichtet, den Brief des Verlages an Fries vom 13.11.1824 aufzunehmen. Er könnte freilich eine weitere Erkundigung enthalten haben, ob Beethoven die versprochenen Werke schon abgeliefert habe. (Zu den zahlreichen Mahnungen des Verlages vgl. BKh Bd. 7, S. 84.)
[3] Registraturvermerk: *Fries & Cie in Wien 27 Nov 24./7 Jan 25*.

17. B. Schott's Söhne an Beethoven

[Mainz, 30. November 1824]

[Antwort auf Nr. 14 und Nr. 15[1]. Der Verlag erkundigt sich nach der Ablieferung der versprochenen Werke (op. 123, 125, 127) und schlägt einen neuen Termin für den Wechsel vor. Er akzeptiert Beethovens Angebot in Nr. 15 und bietet einen Wechsel, zahlbar in drei Monaten, an.]

Quelle: Original nicht bekannt; Brief erschlossen aus Registraturvermerk auf Nr. 14.

[1] Beethoven muß vor dem 10. Dezember 1824 eine Zusage auf seine Offerte in Nr. 15 erhalten haben, da er an diesem Tag seinem Bruder davon berichtete (s. KK 1258).

18. Beethoven an B. Schott's Söhne

Vien am 5ten decemb. 1824

Euer wohlgebohrn!

Diese woche werden die werke ganz sicher bey Frieß *et Compag.* abgegeben, seyn sie übrigens ruhig, indem sie vieleicht von einem Klawierauszuge gehört haben, zu dem ‹ich› man mich aufgefordert[1] ‹wurd ich› so was ist <u>nicht</u> und <u>wird nicht</u> geschehen, Es war nur so lange die rede davon, als ich von <u>ihnen</u> noch nicht sicher war, denn mir ward abgerathen von ihnen von <u>jemanden hier, welchen sie schwerlich vermuthen, (auch verleger,)</u>[2] sobald sich aber einer meiner Freunde bey Frieß *et Comp.* erkundigte u. man alles auf's Richtigste befunden, so hatte Es gleich sein Abkommen mit dieser ganzen Sache, u. Ich gebe ihnen mein Ehrenwort, daß nichts <u>geschehen u. geschehen</u> wird. – auch von *leipzig* ward ich aufgefordert diese werke zur aufführung für *Honorar* hinzusenden[3], ich habe es aber

21

sogleich rund abgeschlagen; – ich habe ihnen dieses sagen wollen da ich merke, daß es Menschen hier gibt, denen dran gelegen Das Einverständniß mit ihnen zu stören, vieleicht von beyden Seiten[4]. –

für ihr Journal werde ich ihnen beyträge liefern – von den lekzionen beym Erzerz. rudolph Kardinal laßen sie ja nichts in ihrem Journal verlauten, ich habe mich derweil ‹derweil› wieder ziemlich von diesem Joche zu befreien gesucht, freylich mögte man ‹gern wieder› *Autoritäten* ausüben, an die man sonst nicht gedacht, die aber diese neuen Zeiten mit sich bringen wollen zu scheinen; Danken wir Gott für die zu erwartenden Dampfkanonen, u. für die schon gegenwärtige DampfSchiffart, was für ferne Schwimmer wird's da geben, die unß Luft u. Freyheit verschaffen?! –

[die][5] Briefe, wenn sie nicht in den wasserfluthen untergegangen, müßen sie wohl jezt doch erhalten haben[6], rechnen Sie nun ganz sicher auf die richtige Absendung der beyden werke noch in dieser woche. –
der Himmel sey mit ihnen. –

ergebenster *Beethoven*

An B. Schott Söhne in Mainz. Grhzl.-Heß. Hofmusik-Verlag u Handlung, Weyergarten Lit.F. Nro.382[7].

Quelle: Autograph, 1 Doppelblatt, 3 beschriebene Seiten; Mainz, Stadtbibliothek (Hs III 71, Nr. 8).

[1] Gemeint ist ein Klavierauszug von op. 123, den J.A. Streicher angeregt hatte. Vgl. Beethovens Brief an Streicher vom 16.9.1824 (KK 1238) und Streichers Brief an den Zürcher Gesangverein vom 17.9.1824 (Nohl I, S. 271). Zu gleicher Zeit wurden in derselben Angelegenheit mehrere andere Institutionen angesprochen, von denen aber keine weiteren Nachrichten vorliegen, s. BKh Bd. 7, S. 21.

[2] Vermutlich hat Beethoven Steiner und Haslinger im Sinn, wie sich in Nr. 19 (Anm. 4) und Nr. 26 zeigt.

[3] Es ist unbekannt, von wem die Aufforderung ausging, ob von einem der ansässigen Verlage oder möglicherweise von dem Leiter des Gewandhausorchesters J.P.C. Schulz selbst.

[4] Möglicherweise eine erneute Anspielung auf Steiner und Haslinger.

[5] Siegelriß.

[6] Gemeint sind wohl Nr. 14 und Nr. 15.

[7] Die Adresse stammt von der Hand des Neffen. Darüber Registraturvermerk: *„Beethoven in Wien* den 5t *Dez.* 1824./den 7 *Jan* 1825".

19. Beethoven an B. Schott's Söhne

Euer Wohlgebohrn!

Ich melde ihnen, daß wohl noch 8 täge dazu gehen werden, bis ich die werke abgeben kann, Der Erzerzog R. ist erst gestern von hier fort, u. manche Zeit muste ich noch bey ihm zubringen, ich bin geliebt u. ausgezeichnet geachtet von ihm allein – davon Lebt man nicht, u. das Zurufen von mehrern Seiten „wer eine Lampe hat, gießt öhl darauf"[1] findet hier keinen Eingang. da die *Partitur correct* gestochen werden muß, so muß ich noch mehreremal selbe übersehn, denn es fehlt mir ein geschikter Kopist, den ich hatt ist schon anderthalb Jahre im Grab[2], auf ihn konnte ich mich verlaßen, aber ein solcher muß immer erst <u>Erzogen</u> werden –

denken sie übrigens nur nichts Böses von mir, <u>nie</u> habe ich etwas schlechtes begangen, ich werde ihnen zum beweise sogleich mit der abgabe der werke die Eigenthums Schrift beyfügen[3] – wäre es nicht leicht möglich, daß derjenige verleg.[er] von hier, welcher mich suchte von ihnen wegzuziehen nicht auch auf solche Mittel verfiele mich verdächtig bey ihnen zu machen, wenigstens hat er schon versuche gemacht, andere Verbindungen zu verhindern[4], so, daß man so etwas schon glauben könnte. – ich empfange eben gestern einen Brief von meinem Bruder, worin er mir zusagt, ihnen die angezeigten werke zu überlaßen[5], ich freue mich, daß gerade diese werke ihnen werden, sobald mein Bruder, welches bald ist, ankommt, werde ich ihnen das nähere schreiben, die werke sind alle geschrieben, u. werden können sogleich abgeschikt werden, ich wünsche selbe auch bald gestochen –

das *quartett*[6] anbelangend, so ist nur [in]* dem lezten Saze noch etwas zu sch[reiben]* sonst ist es vollendet[7], u. wird nach diesem sogleich können ebenfalls abgegeb. werden. – mein Bruder ist übrigens in der Art, das *Honorar* zu empfangen wie sie es ‹angegeben› vorgeschlagen ganz zufrieden,

wie imer ihr Freund

Beethoven

An *B. Schott Grhzl. Hess. Hofmusik-verlag* u. Handlung in Mainz <u>*weiergarten*</u> <u>*Lit.F.No 382*</u>[8]

Quelle: Autograph, 1 Doppelblatt, 3 beschriebene Seiten; Mainz, Stadtbibliothek (Hs III 71, Nr. 6).
    An den mit * gekennzeichneten Stellen ist die Handschrift beschädigt.

[1] Nach Plutarch (*Lebensbeschreibungen, Perikles*, Kap. 16, 16,7), soll der Philosoph Anaxagoras, von dem vielbeschäftigten Perikles im Alter vernachlässigt, gesagt haben: „Ei, Perikles, wer eine Lampe braucht, der gießt Öl darauf."

[2] Wenzel Schlemmer (1760 – 6. August 1823, s. BKh Bd. 4, S. 336, Anm. 40), war für mehrere Jahrzehnte Beethovens Hauptkopist. Er arbeitete für ihn nachweislich seit 1799, als er die erste Abschrift von op. 18 Nr. 1 anfertigte (s. A. Tyson, *Notes on Five of Beethoven's Copyists*, S. 445).

[3] Die Eigentumserklärung für op. 123 und op. 125 folgte im Januar 1825 (Nr. 23), die für op. 127 erst im November 1825 (Nr. 38).

[4] Wahrscheinlich meint Beethoven S.A. Steiner, der tatsächlich früher den Versuch gemacht hatte, „andere Verbindungen zu verhindern", s. Brief Beethovens an Peters vom 5. Juni 1822 (KK 1019).

[5] Der Brief ist nicht erhalten. Gemeint sind die in Nr. 15 aufgeführten Kompositionen.

[6] op. 127.

[7] Das Quartett wurde erst im Februar 1825 vollendet (s. S. Brandenburg, *Die Quellen von Beethovens Quartett op. 127*).

[8] Unter der Adresse Registraturvermerk: „*Beethoven in Wien den 17t Dez 1824.*"

20. Johann van Beethoven an B. Schott's Söhne

Wien am 29t. Xbr [= Dezember] 1824

Euer Wohlgebohren!

Da mein lieber Bruder die Werke, die er mir früher überlassen hatte, Ihnen jezt für 130 Wiener *Ducaten* überlassen hat, so zeige ich Ihnen nun an, daß mir alles recht ist was mein Bruder thut, obschon ich von 2 Seiten sehr gute Anträge für diese Werke hatte[1], dennoch aus Achtung für meinen Bruder und ihr Hauß diese Werke um den ausgemachten Preiß von 130# überlasse, doch mit dem Beding, daß Sie mir von jedem 3 Exemplare schicken.

Diese Werke sind nun bereits rein abgeschrieben, und ich bin bereit diese Werke dem Hauße *Fries et Comp.* zu übergeben, indem Augenblick als ich von Ihnen den Wechsel auf 3 Monat und von *Fries acceptirt* erhalte.

Genehmigen Sie die Versicherung meiner Achtung mit der ich bin Euer Wohlgebohren

Ergbstr Johann *van Beethoven mpria*
Gutsbesitzer

An *B. Schott* Söhne in Mainz[2].

Quelle: Autograph, 1 Blatt, 1 beschriebene Seite; Mainz, Stadtbibliothek (Hs III 71, Nr. 7).

[1] Verhandlungen mit den Verlegern C.F. Peters, H.A. Probst und M.J. Leidesdorf waren aus unterschiedlichen Gründen gescheitert, s. S. Brandenburg, *Ludwig van Beethoven. Sechs Bagatellen*, Teil 2 S. 45ff.

[2] Der Brief wurde wahrscheinlich zusammen mit Nr. 21 abgesandt (s. dort Anm. 1).

21. Beethoven an B. Schott's Söhne

[Wien, 29. Dezember 1824][1]

Euer Wohlgebohrn!

Ich sage ihnen nur, daß ‹sie› nun künftige woche die werke <u>sicher</u> abgegeb. werd – Es ist leicht zu denken, wenn sie sich nur vorstellen, daß ich bey der unsicheren *Copiatur* jede Stimme für sich durchgehen mußte – denn dieser Zweig hat, wie so vieles hier sehr abgenommen, je mehr Steuren je mehr Schwierigkeit. überall – Armuth *Spiriti* – u. des geldbeutels –

ih[re] *Caecil.* habe ich noch nicht empfangen die *overtur* welche sie von meinem Bruder erhalten ward hier diese täge aufgefüh.[rt] ich erhielt deswegen Lobes Erhebungen *etc* was ist dies alles gegen den Grösten Tonmeister oben – oben – oben – u. mit recht allerhöchst, wo hier unten nur Spott damit getrieb. wird +die <u>Zwerglein allerhöchst</u>!!!???+ - das *quartett*[2] erhalten sie gleich mit den andern werken, sie sind so offen u. unverstelllt, Eigenschaft., welche ich noch nie an Verlegern bemerkte, dies gefällt mir, ich drücke ihnen deswegen die hände, wer weiß ob nicht bald persönlich?! – Lieb wär es mir, wenn sie nun schon auch das *Honorar* für das *quartett* hieher an Frieß übermachen wollten, denn ich brauche jezt ‹eben› gerade vil, da mir alles vom Ausland kommen muß, u. wohl hier u. da eine verzögerung entsteht; – durch mich selbst – mein Bruder fügt ihnen wegen den ihnen angebothen. u. angenommen. Werken das nöthige bey[3] – ich grüße sie herzlich –

<u>Junker</u>[4] wie ich aus ihrer Zeits.[chrift] sehe, lebt noch er war einer der ersten der ‹dies› mich „unschuldig u. nichts weiter"[5] bemerkte, grüßen sie ihn – eiligst schleunigst u. doch nicht kürzlichst ihr

Beethoven

An *B. Schott Söhne* in Maynz *grhzl. Hess. Hofmusik-Verlag u. Handlung weyergarten lit.F.N. No* 382.

Quelle: Autograph, 1 Doppelblatt, 3 beschriebene Seiten; Mainz, Stadtbibliothek (Hs III 71, Nr. 3).

[1] Der Brief ist wohl mit 29. Dezember 1824 zu datieren (nicht mit „Sommer 1824", wie Kal und TDR, auch nicht mit „März 1825", wie Anderson). Er wurde wahrscheinlich gleichzeitig mit dem Brief Johanns (Nr. 20) abgeschickt, welcher keine postalischen Vermerke auf der Adressenseite enthält und daher offenbar als eine Einlage expediert wurde. Er ist kleiner gefaltet als Nr. 21 und paßt in diesen hinein.
In Beethovens Bericht, „die *overtur*, welche sie von meinem Bruder erhalten ward hier diese täge aufgefüh.[rt]" ist op. 124 gemeint. Eine Eintragung im Konversationsheft 79 (zweite Dezemberhälfte 1824) macht deutlich, daß hier die Aufführung von op. 124 in dem Wohltätigkeitskonzert vom 25. Dezember 1824 angesprochen ist (s. BKh Bd. 7, S. 334, Anm. 703 und

718). Unterstützt wird die Datierung des Briefes durch ein Gespräch in demselben Konversationsheft (BKh Bd. 7, S. 340) zwischen dem 28. und 30. Dezember. Nach der Notierung der Adresse von Schott und der Aufzählung der sieben Werke wird es von Johann mit den Worten beschlossen: „Schreibst du heut oder Morgen?". Diese Frage ist sicherlich auf den vorliegenden Brief zu beziehen.

[2] op. 127.

[3] Nr. 20, der diesem Brief beilag.

[4] Karl Ludwig Junker (1748–1797) hatte am 23. November 1791 in der von H. Ph. Bossler in Speyer herausgegebenen „Musikalischen Korrespondenz der teutschen Filarmonischen Gesellschaft" einen überaus lobenden Bericht über den jungen Beethoven geschrieben. Beethoven irrte jedoch, wenn er Junker 1824 noch lebend glaubte. Worauf der Irrtum zurückgeht, ist nicht zu ermitteln. In der Cäcilia ist der Name Junker nicht zu finden. Dagegen tritt aber Fr. W. Jung mehrfach als Autor auf. Vielleicht war sein Name Anlaß einer Verwechslung.

[5] Zitat aus Mathias Claudius' (1740–1815) Gedicht *Phidile*, 2. Zeile der ersten Strophe: „Ich war erst sechzehn Sommer alt, Unschuldig und nichts weiter . . .".

22. B. Schott's Söhne an Beethoven

[Mainz, 7. Januar 1825]

[Antwort auf Beethovens Brief Nr. 18. Der Verlag erkundigt sich nach der Publikation einer Messe in Paris und äußert die Befürchtung, es handele sich um op. 123.]

Quelle: Autograph nicht bekannt; Brief erschlossen aus Registraturvermerk auf Nr. 18 und aus Nr. 23.

23. Beethoven an B. Schott's Söhne

Vien am 22ten jenner 1825

Euer wohlgebohrn!

Am 16ten jenner sind Beyde werke[1] bey Frieß abgegeb. Worden, was hiebei noch zu bemerken, mit nächstem Briefe, beyde sind gebunden u. werden von Frieß, wo man sich scheint darum warm anzunehmen gewiß gut besorgt werden. ‹wegen› daß ‹den› sollte die Meße gestochen seyn[2], scheint mir nicht möglich zu seyn, veranlaßung ‹da› zu diesem Gerüchte, wie ich sicher hoffe, könnte ein gewißer *Stockhausen*[3], welcher einen singverein bildet, gegeben haben, er schrieb mir viel schönes über die Meße[4], u. daß man von Hof aus das vertrauen ‹zu› in ihn seze, u. ihn habe eine abschrift für seinen verein nehmen, wo aber kein Mißbrauch

26

zu erwarten, wahrscheinlich durch den Herzog von Blacas[5], welcher diese seine Musiken besuchte, wie er schrieb, *parceque les grands sont le plus faibles* – mir ward nicht wohl zu Muthe, ich hoffe aber, daß nichts daran sey, *Schlesinger*[6] ist auch nicht zu trauen, da er's nimmer [= nimmt] wo immer beyde *Pere et fils* haben mich um die Meße *etc Bombardirt*[7], ich würdigte beyde keiner antwort, da ich bey einer Musterung sie längst ausgestoßen – Es wäre mir sehr lieb, wenn sie selbst mir etwas zu unterschreiben schickte[n], wo ich sie des alleinigen Eigenthums dieser allein *correcten* ‹wenn nöth› Auflagen versicherte, jedoch sey es gleich hier –

Ich Endes Unterschriebner bezeuge laut meiner Unterschrift, daß die *B. Schott Söhne* in Maynz die einzigen u. Rechtmäßigen verleger meiner großen *solennen* Meße sowohl als meiner Großen *Sinfonie* in *D moll* sind, ‹auch erkläre ich Sie als alleinige Eigenthümer meiner großen Eröffnungs *Overture* in *C dur*, 6 ganz neue *Bagatellen* für Hammer Klawier drei gesänge wovon zwey +diese beyden+ mit chören u. Blasenden Instrumenten u. einer mit alleiniger Klawierbegleitung.›[8] auch erkenne ich Bloß diese Auflagen als rechtmäsige u. korrekte.

vien am[9]   jenner 1825

ludwig *van Beethoven*
m.p.

Schlesinger[10] wollte auch meine *quartetten* <u>sämtlich</u> herausgeben, u. von mir *periodisch* jedesmal ein neues dazu haben, u. zahlen was ich wollte[11], da dies aber meinem Zweck einer Herausgabe von mir meiner Sämtlich. Werke[12] schaden könnte, so blieb auch dieses von mir unbeantwortet, bey dieser Gelegenheit könnten sie wohl einmal darüber nachdenken, denn beßer es geschieht jezt von mir als nach meinem Tode, Anträge hierüber habe ich schon erhalten auch Pläne dazu jedoch scheinen mir diese Handlungen nicht zu einem so großen Unternehmen geeignet, Zu ihnen hätte ich eher das Zutrauen, ich würde mit einer *Summe* überhaupt mich am liebsten dafür *Honoriren* laßen, würde die gewöhnl. kleinen Unbedeutend. Änderungen andeuten, u. zu jeder Gattung von werken wie zu B. zu *sonaten Variation. etc* ein dergleichen neues Werk hinzufügen – hier folgen ein paar *Canones* für ihr Journal[13] – noch 3 andere folgen[14] – als beylage einer *Romantischen* LebensBeschreibung[15] des Tobias Haßlinger allhier in 3 Theilen erster Theil – Tobias findet sich als Gehülfe des Berühmten Sattelfesten *Kapellmeisters Fux*[16] – u. hält die Leiter zum *Gradus ad Parnassum* desselben, Da er nun zu schwänken aufgelegt, so verursacht er durch ein rütteln u. schütteln derselben, daß Mancher, welcher schon ziemlich empor gestiegen jählings den Hals bricht *etc* nun emphielt er sich unserm Erdklumpen u. kommt wieder zu Zeiten *Albrechtsbergers*[17] an's Tageslicht +2ter Theil+ die schon vorhandene *Fuxische Nota cambiata* wird nun gemeinschaftlich mit *A.[lbrechtsberger]* behandelt, die

Wechselnoten auf's äuserste auseinandergesezt, die Kunst Musikal.[ische] Gerippe zu erschaffen auf's äußerste getrieben *etc* Tobias spinnt sich nun neuerdings als Raupe ein, u. so ‹daraus› entwickelt er Sich wieder[18], u. erscheint zum 3-tenmahl auf dieser welt 3-ter Theil. die kaum erwachsenen Flügel eilen dem *paternoster*gäßel nun zu, er wird *paternoster*gäßlerischer *Kapellmeister*, die schule der Wechselnoten Dur[ch]gegangen, behält er nichts davon, als die Wechsel, u. so schaft er seinen JugendFreund[19] u. wird endlich Mitglied mehrer inländischen Geleerter Vereine[20] *etc*. wenn sie ihn darum bitten, wird er schon erlauben daß diese Lebens-Beschreibung heraus komme –
Eiligst u. Schleunigst der Ihrige

Beethoven

Hr. *B. Schott Söhne grhz. Heß. HofMus. Verlags Handl. Weyergarten* in Mainz[21].

Quelle: Autograph, 2 Blätter (ursprünglich 1 Doppelblatt), 3 beschriebene Seiten; Mainz, Stadtbibliothek (Hs III 71, Nr. 9).
Teilfaksimile: P. Bekker, *Beethoven*, Bildteil S. 104. Dieselbe Passage wurde in verschiedenen anderen Publikationen faksimiliert.

[1] op. 123 und op. 125. Die Stichvorlagen befinden sich heute in Mainz im Archiv des Verlags B. Schott's Söhne; op. 123 – 3 Bände, op. 125 – 2 Bände (1. und 2.–3. Satz) und ein Band mit Lagen unterschiedlicher Größe (4. Satz).
[2] Der Verdacht erwies sich als unbegründet, vgl. Nr. 26. Anlaß war ein Nachdruck der Messe op. 86.
[3] Franz Stockhausen (1789–1868), Vater des bekannten Sängers Julius Stockhausen, Harfenist und Komponist, gründete 1822 in Paris die „Académie de chant". Beethoven fragte Stockhausen am 12. Juli 1823: „ob sie wohl einen verleger in Paris finden würden, der die Meße erst in anderthalb Jahren für ein Honorar für 1000 C.M. . . . herausgeben würde in Partitur" (vgl. M. Friedlaender, *Ein ungedruckter Brief Beethovens*, und And 1207). Die später im Brief erwähnte Abschrift von op. 123 ist anscheinend nicht überliefert.
[4] Beethoven hat offenbar einen Brief Stockhausens vom Juni 1823 im Sinn. Dieser ist zwar nicht erhalten, kann aber aus And 1207 erschlossen werden.
[5] Pierre, Herzog von Blacas (1771–1839), war unter Ludwig XVIII. seit 1814 „ministre de sa maison, secrétaire d'Etat, intendant des bâtiments et grand maître de la garderobe" (s. *Biographie Universelle*, Bd. 14, S. 381). Anderson (Nr. 1345, Anm. 4) gibt irrtümlich an, er sei Unterzeichner jenes Briefes gewesen, mit dem Beethoven die Medaille Ludwigs XVIII. übersandt wurde (vgl. BKh Bd. 6, Anm. 67).
[6] Adolf Martin Schlesinger (1769–1839) eröffnete 1795 in Berlin eine Buchhandlung und gründete dort 1810 einen Musikverlag. Die Verbindung zu Beethoven kam 1819 durch seinen Sohn Moritz Schlesinger (1798–1871) zustande, der Beethoven auf einer Geschäftsreise in Mödling aufsuchte. Moritz gründete 1821 in Paris eine eigene Verlagshandlung.
[7] Die Verhandlungen mit A.M. Schlesinger um op. 123 gehen ins Jahr 1821 zurück (s. And 1063). Sie wurden im Februar 1824 wiederaufgenommen (s. Brief an Moritz Schlesinger vom 25.2.1824, And 1267).
[8] Vermutlich strich Beethoven diese Zeilen, weil die genannten kleineren Werke noch nicht abgesandt waren (erst am 4. Februar) und er dafür eine getrennte Eigentumserklärung aufsetzen wollte. Die gesamte Passage mit Unterschrift und vorgesetztem Briefdatum „. . . 22ten jenner . . .", aber unter Auslassung der gestrichenen Zeilen erschien als Faksimile bei P. Bekker (s.o.) und an verschiedenen anderen Orten.

⁹ Beethoven ließ hier Raum, damit der Verlag selbst ein Datum einsetzen konnte.

¹⁰ Den Nachtrag markierte der Verlag am linken Rand mit Rotstift.

¹¹ Moritz Schlesinger konnte seinen Wunsch, eine Sammlung sämtlicher Quartette Beethovens herauszugeben, im September 1827 endlich in die Tat umsetzen (s. A. Tyson, *Maurice Schlesinger as a publisher of Beethoven 1822–1827*, S. 191).

¹² Den Plan einer Ausgabe seiner sämtlichen Werke verfolgte Beethoven bereits seit 1817. Konkretere Formen nahm er im Jahr 1822 an. Im September 1824 schaltete sich J.A. Streicher ein (TDR V, S. 118), doch war es anscheinend schwierig, einen Verlag zu finden, der auf Beethovens Vorstellungen einging. In den folgenden Jahren zeigte A.M. Schlesinger ein gewisses Interesse, Schott dagegen stand dem Plan eher ablehnend gegenüber, wohl weil ihm das Unternehmen zu umfangreich und kostspielig erschien (s. Nr. 34; vgl. auch M. Unger, *Beethoven über eine Gesamtausgabe seiner Werke* und O.E. Deutsch, *Beethovens gesammelte Werke*).

¹³ WoO 180 und WoO 187 (s. Nachschrift Nr. 29); die an Schott übersandten Vorlagen der beiden Kanons sind nicht erhalten.

¹⁴ Entgegen Beethovens Ankündigung wurden diese drei Kanons, die möglicherweise die drei Teile der Lebensbeschreibung Haslingers illustrieren sollten, offenbar nicht abgeschickt.

¹⁵ Die „romantische Lebensbeschreibung" wurde im 7. Heft der Cäcilia (1825, S. 205) ohne Wissen Beethovens abgedruckt. G. Weber setzte den Passus voran: „Kanons nebst Erwähnung ihrer Veranlassung von Ludwig van Beethoven. Mit Vergnügen übergebe ich hier der Cäcilia und ihren Lesern einige Kanons, die ich als Beilagen einer humoristisch-romantischen Lebensbeschreibung des hiesigen Herrn Tobias Haslinger geschrieben, welche, in drei Theilen, nächstens erscheinen soll". Die beigegebenen Kanons WoO 180 und WoO 187 stehen jedoch in keinem inhaltlichen Zusammenhang mit der Lebensbeschreibung, wie Beethoven selbst in seinem Brief vom 13. August 1825 (Nr. 36) klarstellt. Die Idee zu dieser Karikatur stammt möglicherweise nicht von Beethoven selber, sondern aus dem Kreise um Ignaz Franz Castelli, der nach Beethovens Vorstellung die Skizze ausarbeiten sollte (vgl. KK 1326, BKh Bd. 8, S. 73 und 191).

¹⁶ Das musiktheoretische Hauptwerk des Wiener Komponisten und Hofkapellmeisters Johann Joseph Fux (1660–1741) ist der 1725 erschienene „Gradus ad Parnassum".

¹⁷ Der Wiener Komponist und Musiktheoretiker Johann Georg Albrechtsberger (1736–1809) war 1794/95 Beethovens Lehrer.

¹⁸ Beethoven kennzeichnete die intendierte Wortfolge durch Zahlen: er(2) Sich(3) wieder(4) entwickelt(1).

¹⁹ Eine Anspielung auf Haslingers seit 1814 erschienene Reihe *Musikalischer Jugendfreund für das Pianoforte mit und ohne Begleitung und zu vier Händen* (25 Hefte).

²⁰ Beethoven spielt auf Haslingers zahlreiche Mitgliedschaften in philharmonischen Vereinigungen an.

²¹ Unter der Adresse notiert Schott: *„Beethoven in Wien den 22 Jan 1825/7 Febr 1825/5 Merz 25"* (s. Nr. 27 und Nr. 28).

24. Beethoven an B. Schott's Söhne

[Wien, 26. Januar 1825][1]

Euer wohlgebohrn!

Nur geschwinde Erinnerungen – am Besten u. deutlichsten wird die Meße gestochen werden, wenn zwischen den blasenden u. Blech Instrumenten wie auch den Pauken ein Zwischenraum gelaßen wird, alsdenn folgen die 2 violinen Bratsche die 4 *Solostimen* die 4 chorstimmen Violonschellstimme KonterbaßStimme u. zulezt die Orgel*stimme,* so war die Partitur eingetheilt von meinem verstorbenen Kopisten[2], mit der *orgelstimme* könnt es auch noch anders werden, wie es sich dort bey ihnen finden wird, die alte *partitur* war zu beschmiert um ihnen zu schicken, die neue ist auf's sorgfältigste durchgesehn worden, wahrlich keine kleine Mühe bey einem Kopisten, der kaum versteht, was er schreibt[3] – hätte die *sinfonie* sollen ganz abgeschrieben werden, so würde es ihnen zu lange gedauert haben, u. wirklich habe ich noch keinen Kopisten finden können, der nur einigermaßen versteht, was er schreibt, daher [habe] ich für was am schlechtesten geschrieben neue Blätter einrücken laßen[4] – manchmal werden ⟨⟩ die *punkte* hinter einer *Note* statt neben der *Note* nemlich  ganz anderswo sich finden, vieleicht  *etc* deuten sie gefälligst dem Stecher an, daß er hierauf achte u. d.g. *puncte* überall neben die *Note* auf dieselbige linie derselben seze. –

wo diese Stelle im ersten *Allo* Iten Theile in den Beyden Violinen komt, nemlich[5]

muß darüber *non ligato* angedeutet werden – eben so im 2ten Theile – nachzusehn ist noch, ob im *dona nobis* im *allegro assai* bey dieser Stelle in der ersten Violin das ♭ von D nicht vergeßen nemlich[6]

das *Tempo* vom *Benedictus Andante molto cantabile e non troppo mosso* ist vieleicht auch nicht angedeutet – bey den *canones,* welche ich ihnen schikte, u. selbst abgeschrieben, wo ich immer fehle, muß es im 3ten u. 4ten Takt so heißen[7]

schreiben sie ja gleich wegen[8] Paris ich könnte auch von hier aus gleich eine französische Erklärung ihnen zuschicken[9], allein, was Sie hierin ergreifen, werde ich auf das untrüglichste beystimmen – mein Bruder hat den wechsel noch nicht[10], beeilen sie diese sache, denn er ist etwas Gelddurstig, umso mehr als das Geld dafür hier angewiesen war, u. ich einen schweren Stand mit dem andern Verleger hatte[11], auch noch eine sehr entfernte Handlung verlangte diese Werke[12], ohne Großsprecherey – das *quartett* wird in höchstens 8 tägen abgeg.[eben] da ich sehr gedrängt in einem andern Werke[13] begriffen bin –

Mit Herzlichkeit u. Achtung ihr Freund

Beethoven

Im *Dona nobis* müßen statt der 8tel vorschläge ♪♫ immer nur 16tel vorschläge nemlich: ♪♫ gesezt werden, und zwar an den hier angezeigten Stellen.

in denen Stimmen, wo sich in diesen Täckten 8tel vorschläge finden, müßen selbe sämmtlich in 16tel vorschläge verändert werden *Nb:* bey der *Violino 2do* beginnen diese 8tel vorschläge erst beym 6ten Tackt: Nach dem *Allo assai Tempo primo* $\frac{6}{8}$ ‹Takt 7› *Vno 2do* Takt 7, 8, 9, 10, 11, 12, 13, 14, 15, 16, 17, 18, 19, 20, 21, 22, und bey der *Viola* vom 10ten bis 22 Takt ebenfalls stat 8tel ♪ Vorschläge 16tel ♪ vorschläge, eben So nach dem *Presto Tempo primo* $\frac{6}{8}$ Takt *Oboe 1ma* Takt 9, 10, 11 u. *Flauto* Imo Takt 10 u. 11 statt 8tel ♪ vorschlägen 16tel ♪ vorschläge – Eben so *Vno Imo* u. *Viola* allda Takt 14, 15, 16, 17, 18, 19, 20 statt 8tel ♪ vorschläg. müßen ♪ 16tel vorschläg. seyn. – hieraus können sie ersehen welche[n] Kopisten ich jezt noch habe, der Kerl ist ein stockBöhme ein *Pandur*, versteht einem nicht, zuerst schrieb er Viertel ♩ zu den vorschlägen dann endlich 8tel, da ich nicht mehr nachgesehn hatte, so ersah ich dieses noch beym flüchtigen einpacken –

Vien am 26ten Jenner

An *B. Schott Söhne* in Maynz *grosherz. Hof Mus. Verlag* u. *Handlung weyergarten*[14]

Quelle: Autograph, 2 Blätter (ursprünglich 1 Doppelblatt), 3 beschriebene Seiten; Mainz, Stadtbibliothek (Hs III 71, Nr. 10).

[1] Das Datum an dieser Stelle ist von fremder Hand nachgetragen.

[2] Wenzel Schlemmer (s. Nr. 19, Anm. 2); Beethoven bezieht sich wahrscheinlich auf die Kopistenabschrift A 21 im Archiv der Gesellschaft der Musikfreunde in Wien. Die Stichvorlage in Mainz weist die gleiche Stimmanordnung auf, allerdings ohne den Zwischenraum nach den Pauken.

[3] Es ist nicht klar, welchen Kopisten Beethoven meint. Die Mainzer Stichvorlage stammt aus dem Jahre 1823 und wurde im Dezember 1824 nach Beethovens Anweisungen und Korrektu-

ren von Ferdinand Wolanek überarbeitet. Wolanek, vermutlich Sohn des böhmischen Ballett-komponisten Joseph Alois Wolanek (1761–1817), geboren am 15. Januar 1789 in Prag, arbei-tete als Kopist zunächst am Prager Theater (1813–16) und später in Wien, wo er Ende 1824 mit Beethoven in Kontakt kam.

[4] Die als Stichvorlage übersandte Abschrift von op. 125 wurde bereits im Frühjahr 1824 herge-stellt. Lediglich einige Blätter sind von Ferdinand Wolanek neu geschrieben worden.

[5] op. 125, 1. Satz, T. 132/33. In der Stichvorlage fehlt die Angabe „non ligato". Dieselbe Korrektur ist auch auf einem Skizzenblatt notiert, das sich in New York befindet (Metropo-litan Opera Guild, s. O.E. Albrecht, *Beethoven Autographs*, S. 8), außerdem auf S. 3 in der Handschrift Artaria 204(6) in der Staatsbibliothek Preußischer Kulturbesitz, Berlin.

[6] op. 123, Agnus/Dona nobis, Allegro assai, T. 168/69. In der Stichvorlage ist die Alteration angegeben.

[7] Kanon WoO 187, der mit Nr. 23 geschickt wurde.

[8] Die folgenden Zeilen (bis „werde ich auf das") wurden von G. Weber mit roter Tinte unter-strichen. Er bemerkte dazu: „das roth Unterstrichene kann ich nicht verstehen". Wahrschein-lich konnte er den Sinn des Satzes nicht verstehen, weil er den Zusammenhang nicht präsent hatte. Über den Worten „wegen Paris" eine Entzifferung von späterer Hand.

[9] Die französische Erklärung sollte sich wohl gegen jenen dubiosen Druck der Missa solemnis in Paris wenden, von dem Beethoven gerüchteweise gehört hatte (s. Nr. 23 und Nr. 26, Anm. 11).

[10] Für op. 121b, op. 122, op. 124, op. 126 und op. 128.

[11] Gemeint ist H.A. Probst (s. And 1347 vom 26.1.1825 und BKh Bd. 7, S. 46).

[12] Beethoven spielt auf Johann Reinhold Schultz aus London an, der am 10.12.1824 wegen op. 124 an Haslinger geschrieben hatte. Sein Interesse an der Ouverture war im Januar 1825 Gesprächsthema (s. BKh Bd. 7, S. 85).

[13] Wahrscheinlich op. 132.

[14] Unter der Adresse Registraturvermerk: *„Beethoven in Wien 26 Jan* 1825". Darunter notierte J.J. Schott mit Rotstift: „diese Briefe doch gefälligst bald *retour*". Der Verlag leitete diesen und möglicherweise weitere nicht näher zu bestimmende Briefe wegen der in ihnen enthaltenen Korrekturen vermutlich an den Stecher weiter.

25. Johann van Beethoven an B. Schott's Söhne

[Wien, 4. Februar 1825]

Herrn *B. Schott* Söhne in *Mainz*!

Beyliegend erhalten Sie die sieben Werke meines Bruders[1] rein *copirt,* und eben jetzt von ihm durchgesehen und *corrigirt,* so daß Sie gleich gestochen werden können, wobey ich Ihnen bemerke, daß Sie alle in Händen habende Werke, nämlich: die große Messe, die *Symphonie*[2] und die Werke, welche sie jetzt erhal-ten, nicht meinem Bruder zu den *Correcturen* des Stiches übersenden, sondern dem bekannten geschickten Herrn Gottfried Weber[3] übertragen, um die Heraus-gabe nicht zu sehr zu verzögern. Ich zweifle nicht, daß dieser aus Liebe für den Autor und die Werke sich mit Vergnügen den *Correcturen* unterziehen wird.

Abb. 4: Gottfried Weber
(Stahlstich von H.F. Schalck nach einer Zeichnung von Müller)

Ferner zeige ich Ihnen hiemit in meinem und meines Bruders Nahmen an, daß Sie obige sieben Werke als Ihr rechtmäßiges Eigenthum betrachten können, welches mein Bruder in seinem nächsten Briefe an Sie bestättigen wird[4].

Wien am 4ten febr 1825[5].

Ich zeichne mich mit Hochachtung Dero ergebenster

Johann *van Beethoven m.pria*
Gutsbesitzer

Quelle: Autograph, 1 Blatt, 1 beschriebene Seite; Mainz, Stadtbibliothek (Hs III 71, Nr. 11).

[1] op. 121b, op. 122, op. 124, op. 126 und op. 128 sowie der zwei- und der vierhändige Klavierauszug von op. 124 (s. BKh Bd. 7, S. 340 und Nr. 26).

[2] op. 123 und op. 125.

[3] Der Name wurde von J.J. Schott rot unterstrichen.
Jacob Gottfried Weber (1779–1839), Jurist, Musiktheoretiker und Komponist, Mitbegründer (1824) und bis 1839 Hauptredakteur der Zeitschrift Cäcilia, erkannte zwar Beethovens Rang als Künstler an, nahm ihm gegenüber aber eine distanzierte, gelegentlich sogar feindselige Haltung ein, s. seine kritische Beurteilung von Wellingtons Sieg (op. 91): *Über Tonmalerei*, Cäcilia 10 (1825), S. 125–72, speziell S. 155–72.

[4] s. Nr. 26.

[5] Am unteren Rand der Seite ein kurzer Dialog zwischen J.J. Schott und Weber: Rote Tinte (Schott): „Sie werden stark in Anspruch genommen." Schwarze Tinte (Weber): „Die Correctur kann ich unmöglich übernehmen, u. hab keine Lust H. Bethovens Corrector zu werden. Verfluchte Zumuthung von dem Hansnarr!"
Auf der Rückseite Registraturvermerk von Schott: *„Joh. von Beethoven* in *Wien* den 4t *Fbry* 1825", darunter mit Rotstift (J.J. Schott): „Beyde Briefe bald zurük". Da dieser Brief Johanns keine Adresse trägt, ist zu vermuten, daß er zusammen mit dem einen Tag später verfaßten Brief Beethovens (Nr. 26) abgeschickt wurde, wodurch auch der Wunsch, „beyde Briefe" zurückzuerhalten, verständlich wird.

26. Beethoven an B. Schott's Söhne

Vien am 5ten Febr. 1825

Euer wohlgebohrn!

Sie werden nun bald alle werke haben, – daß Sie alleinige Eigenthümer der Josephstädt. *overture* u. Klawierauszüge[1] derselben wie auch von meinen 6 *bagatelles* oder Kleinigkeiten[2] u. 3 Gesängen wovon 2 mit Blasend. Instrumenten oder Klawier allein u. einer *Ariette* mit Klawier sind[3], u. ihre Auflagen davon allein die korrekten u. rechtmäsigen sind, u. vom *Autor* selbst besorgt, bezeuge ich ihnen laut meiner Unterschrift

Ludwig *Van Beethoven*

Vien am 5ten Februar 1825

Sie thun wohl, sogleich die Klawierauszüge der *overtüre* herauszugeben sie sind schon von dem Unfug des Hr. Henning[4], wie ich sehe, unterrichtet, denn eben wollte ich sie damit bekannt machen, die *overture* erhielt das Königsstädt. Theater bloß zur Aufführung nicht zum in Stich oder herauszugeben, mit *Behtmann*[5] wurde dieses hier schriftlich ausgemacht, sie wissen aber wohl, daß man sich mit ihm zertragen hat, u. nun glaubte man wohl auch recht zu haben, das nicht zu halten, was mit ihm verhandelt worden ist – ich erhielt von einem meiner bekannten in *Berlin* gleich Nachricht davon, u. schrieb an Henning auf der Stelle, er schrieb auch gleich zurück, daß dieses mit dem 4händig. K.[lavier]auszug zwar geschehen u. unmögl. mehr zurückzunehmen, daß aber gewiß nichts weiter mehr geschehen werde, worauf ich ganz sicher rechnen könnte – ‹gut› ich schickte ihnen den Brief, allein es wird gar nicht nöthig seyn – geben sie nur sogleich die Klawirausz. heraus unter meinem Nahmen oder unter *Carl Czernis*[6] Nahmen, welcher selbe gemacht; – auch die *overture* würde ich bald gern im Musik.[ali-schen] *publicum* wissen es bleibt bey diesem Josephstäd. Titel. die Dedication ist an Sr. Durchlaucht dem Fürsten *Nicolaus* von *Galitzin*[7] d.h. nur auf der *Partitur*. – sie werden nun wohl thun diese werken überall anzukündigen wie auch in *Paris etc* sie haben hierüber volle vollmacht von mir ihr Interesse auf beste u. möglichste zu fördern ‹sie sind› ich genehmige alles, was sie hierin nöthig finden – ich habe ihnen einige *Canons* geschickt zur *caecilia* Sollten sie ‹hierin› aber ‹auch› lieber etwas anders wünschen, so schreiben sie mir – wegen *Brock*hausen[8] in *paris*[9] seyn sie ganz ohne Sorgen, ich werde ihm schon schreiben – den Spaß machen sie sich den <u>tobias</u>* um Seine romant.[ische]* Lebensb[e]schreib.** <u>von mir</u>* zu bitten, das ist so die [Art]** mit diesen Menschen umzugehen <u>Viene[r]</u>** ohne Herz, Er ist eigentl. derjenige <u>welcher mir von ihnen abgerathen</u>[10], ‖ *silentium* [‖]** Es geht nicht anders der eigentliche *Steiner** al*[ias]** *paternoster*gäßler* allhier <u>ist</u> <u>ein haupt-g[eizi]ger</u>** <u>schuftischer Kerl</u>, der *tobias** ist mehr ein <u>schwacher</u> Mensch u. wohl <u>gefällig</u>, u. ich <u>brauche</u> ihn <u>zu manchem</u>, mögen sie nun reden, was sie wollen, im verkehr mit ihnen ist das gleichgültig für sie – sobald sie gesonnen seyn sollten wohl eine gänzl. Herausgabe meiner Sämtl. Werke zu unternehmen, so müßte es bald seyn, denn hier u. da ist manches desweg. zu erwarten, bey jeder Gattung ein Neues werk <u>eben nicht groß immer</u> würde diese Angelegenheit sehr fördern – daß die künftigen auflag[en] +ich meine der neuen W[erk]e, welche sie jezt übernommen haben,+ alle unter meiner Obsorge veranstaltet werden ‹ich meine› könnten sie auch sagen in den Ankündigungen. – weder das 4te noch 5te Heft der *Caecil.* habe ich empfangen.

Leben sie nun recht wohl, u. laßen sie mich bald freundliche worte von ihnen hören.

mit wahrer Achtung ihr

Beethoven

Nb: die in Paris erschienene [Messe]** ist ‹ein› der Nachstich einer frühern Meße von mir[11].

An *B. Schott Söhne* in Mainz <u>abzugeb. an die *grhz. Hess. Hofmusik-Handlung weyergarten lit.F.No* 382</u>[12]

Quelle: Autograph, 1 Doppelblatt, 3 beschriebene Seiten; Mainz, Stadtbibliothek (Hs III 71, Nr. 12).
Teilfaksimile: Cäcilia 8 (1828), S. 66 (s. Anm. 9).
  Die mit * gekennzeichneten Wörter wurden vom Verlag mit Rötel unterstrichen, die mit ** versehenen Wörter sind durch Papierrisse beschädigt. Das Fehlende ist jedoch zum Teil mit Hilfe des Faksimiles in der Cäcilia und aus dem Sinnzusammenhang zu ergänzen.

[1] op. 124.
[2] op. 126.
[3] op. 121b, op. 122 und op. 128.
[4] Carl Wilhelm Henning (1784–1867), Geiger, Komponist und von 1823 bis 1826 Musikdirektor des Königstädtischen Theaters in Berlin, hatte in der zweiten Novemberhälfte 1823 (s. BKh Bd. 4, S. 220) zusammen mit H.E. Bethmann (s. Anm. 5) in Wien die Ouvertüre op. 124 gehört. Bethmann erbat sich das Werk für eine Aufführung in Berlin. Anfang 1825 erschien dort überraschend ein vierhändiger Klavierauszug von Henning (Fest-Ouvertüre von Ludwig van Beethoven, Aus der ungedruckten Original-Partitur für das Pianoforte zu vier Haenden arrangirt von C.W. Henning. Verlag und Eigenthum der Buch- und Musikhandlung T. Trautwein in Berlin; ohne PN). Daraufhin stellte Beethoven Henning zur Rede (KK 1266 und Kal V, S. 136) und setzte eine „Erklärung" in die „Wiener Zeitschrift für Kunst, Literatur, Theater und Mode" (s. Nr. 29, Anm. 2), der wiederum eine Erklärung von Henning und Trautwein in der Beilage zur Abendzeitung (Wegweiser im Gebiete der Künste und Wissenschaften, Nr. 25 vom 23. März 1825, S. 96) folgte (s. BKh Bd. 7, Anm. 563).
[5] Heinrich Eduard Bethmann (1774–1857), Schauspieler, Regisseur und Theaterdirektor, wurde 1794 an der königlichen Bühne in Berlin angestellt, leitete seit 1815 dann eigenständig das Königstädtische, später das Aachener und das Magdeburger Theater.
  G. Weber ergänzte unter dem Namen mit roter Tinte: „Theater *Directeur in Berlin*".
[6] Carl Czerny (1791–1857), Pianist und Komponist, von etwa 1800/1801 an mehrere Jahre Beethovens Schüler, später (1816–18) Lehrer des Neffen Karl und Franz Liszts (1822/23) ist Verfasser zahlreicher, vorwiegend pädagogischer Klavierwerke. Seine Mitteilungen über Beethoven und dessen Unterricht sind ein wertvolles, jedoch nicht immer zuverlässiges Zeugnis, s. G. Schünemann, *Czernys Erinnerungen an Beethoven*, NBJ 9 (1939), S. 47–74 und M. Unger, *Carl Czernys Erinnerungen an Beethoven*, NZfM 107 (1940), S. 606ff.
[7] Fürst Nicolai Borissowitsch Galitzin (Golitsyn 1794–1866), „passioné amateur de musique" und Cellist. Er gilt als der Anreger der ihm gewidmeten Streichquartette op. 127, op. 132 und op. 130, die er am 9.11.1822 bestellt hatte (s. Kal V, S. 161). Galitzin vermittelte Beethoven eine Subskription der Missa solemnis durch den Zaren Alexander I. und brachte das Werk schon im April 1824 in Petersburg zu seiner ersten vollständigen Aufführung. Er kam mit den Honorarzahlungen für seine Quartette in Verzug, woraus später ein langwährender Streit mit Anton Schindler resultierte, s. TDR V, Anhang II und L. Ginsburg, *Ludwig van Beethoven und Nikolai Galitzin*, BJ 4 (1959/60), S. 59–71.
[8] Beethoven meint hier offensichtlich Franz Stockhausen (s. Nr. 23, Anm. 3).
[9] Die anschließende Passage von „seyn sie" bis „schon schreiben" hat der Verlag mit Rötel ausgestrichen. Im folgenden Text sind ebenfalls einzelne Wörter gestrichen (hier gekennzeichnet mit *). Sie wurden in dem in der Cäcilia 8 abgedruckten Faksimile ausgelassen. Am linken Rand dieser Zeilen vermerkt der Verlag mit Rötel: „Ist schon geschehn". Er bezieht sich

anscheinend auf Beethovens Aufforderung, „den tobias um Seine romant.[ische] Lebens-b[e]schreib. von mir zu bitten". Es ist jedoch zu bezweifeln, daß Schott sich eine Veröffent-lichungsgenehmigung von Haslinger eingeholt hat.

[10] Hierzu s. Nr. 18, Anm. 2 und Nr. 19, Anm. 4.
[11] Offenbar hatte Beethoven soeben die Nachricht erhalten, daß seine Messe op. 86 durch den Verleger Castil-Blaze in Paris 1824 nachgedruckt worden sei.
[12] Unter der Adresse Registraturvermerk: *„Beethoven in Wien den 5t Fbry 25."*

27. B. Schott's Söhne an Beethoven

[Mainz, 7. Februar 1825]

[Antwort auf Beethovens Brief Nr. 23; Inhalt nicht näher bekannt.]

Quelle: Original nicht bekannt; Brief erschlossen aus Registraturvermerk auf Nr. 23.

28. B. Schott's Söhne an Beethoven

[Mainz, 5. März 1825]

[Der Verlag fragt erneut nach op. 127. Er erkundigt sich nach weiteren Quar-tetten, kleineren Werken und Kanons, nach einem Plan für die Gesamtausgabe der Werke, dem Erhalt der Cäcilia sowie nach den Opuszahlen der Werke, die er von Beethoven inzwischen erhalten hat.]

Quelle: Original nicht bekannt; Brief erschlossen aus Nr. 29 und Registraturvermerk auf Nr. 23.

29. Beethoven an B. Schott's Söhne

Wien am 19 *März* 1825.

Euer Wohlgeboren![1]

Zuvörderst theile ich Ihnen eine Anzeige mit, welche ich in einige Blätter habe einrücken lassen[2]. Eilen Sie nur mit den *Clavier*auszügen, denn der 4händige ist hier, so wie es in der Anzeige beschrieben ist[3]. Das *Violinquartett*[4] wird diese Tage abgegeben werden. Man hat mir hier vortheilhafte Anträge rücksichtlich desselben gemacht[5], ich aber halte Ihnen mein Wort, ohne darauf zu achten. – Ich habe noch einige Kleinigkeiten unter meinen *Papieren,* wovon ich Ihnen nächstens ein Verzeichniß senden werde[6]. Die *Violinquartetten* werden fortgesetzt. Das 2te ist der Vollendung nahe[7]. Einen Entwurf über die Herausgabe sämmtliche Werke werde ich Ihnen schicken[8]. – Die *Canons* folgen nach und nach[9]. Manche sind nur *stante pede* hingeschrieben, und ich [muß] mich selber wieder erinnern, weil die Blätter sich nicht finden. Von der *Caecilia* habe ich seit Empfang des 3ten Heftes nichts erhalten. – Auch die *Opus* Bezeichnung von den Werken, die Sie von mir haben, sollen Sie baldigst erhalten[10].

Dieß ist Alles, was ich als Antwort auf Ihr Letztes[11] zu schreiben habe. – Vergessen Sie nicht, daß die *Symphonie* erst Ende *July,* oder Anfangs August herauskomme[12]. Seyn Sie versichert, daß Ihr herzliches Benehmen mir sehr angenehm und erfreulich ist, ich werde mich bestreben, selbes durch aufrichtige Freundschaft von meine Seite nach Kräften zu erwiedern.

Ihr Freund *Beethoven*

P.S.
Die beyden von mir erhaltnen *Canons* betreffend, müssen die Aufschriften bleiben, wie sie sind, nämlich auf den einen kommt der Titel: <u>Auf *einen,* welcher *Hoffmann* geheißen</u>; auf den andern: <u>Auf *einen,* w[elcher Sch]wenke[13] geheißen</u>[14].

An die Herrn Herrn *B. Schott Söhne,* Großh. *Heß. Hofmusik Verleger in Mainz.* <u>*Weyergarten*[15]</u>

Quelle: Original von der Hand des Neffen Karl, Unterschrift von Beethoven, 1 Blatt, 1 beschriebene Seite; Mainz, Stadtbibliothek (Hs III 71, Nr. 13).

[1] Neben der Anrede G. Weber mit Tinte: „An H. Schott zurück". Neben der Unterschrift J.J. Schott mit Rötel: „wird *retour* erbethen".
[2] Am 5. März 1825 setzte Beethoven folgende Anzeige in die „Wiener Zeitschrift für Kunst, Literatur, Theater und Mode":
„Ich halte es für meine Pflicht, das musikalische Publikum vor einem gänzlich verfehlten, der Originalpartitur ungetreuen vierhändigen Klavierauszug meiner letzten Ouvertüre [= op. 124] zu warnen, welche unter dem Titel: 'Festouvertüre von Ludwig v. Beethoven' bei Trautwein in Berlin herausgekommen ist, um so mehr, da die Klavierauszüge zu zwei und vier Händen, von Herrn Karl Czerny verfaßt und der Partitur völlig getreu, nächstens in der einzig rechtmäßigen Auflage erscheinen werden.

Ludwig van Beethoven."

Offenbar legte Beethoven dem Brief einen Abdruck der Erklärung bei. Andere Veröffentlichungen sind, entgegen seiner Angabe, nicht nachweisbar. Wenig später publizierte auch der Verlag eine entsprechende Erklärung (Intelligenzblatt Nr. 7 zur Cäcilia vom 30. Juli 1825).
[3] Gemeint ist der widerrechtliche Klavierauszug von C.W. Henning (s. Nr. 26, Anm. 4), der durch die Klavierauszüge von Czerny verdrängt werden sollte.
[4] op. 127.

[5] Es gibt keinen eindeutigen Beleg für Beethovens Behauptung. Im Anschluß an die ersten Aufführungen von op. 127 wurden jedoch Gespräche mit den Wiener Verlegern Steiner und Haslinger geführt (s. BKh Bd. 7, S. 177 und S. 193).

[6] Beethoven schickte zwar kein „Verzeichnis", offerierte aber in Nr. 31 fünf „geringere Werke".

[7] op. 132, vollendet im Juni 1825.

[8] Es ist unbekannt, ob Beethoven seine Absicht verwirklicht hat. Der im Beethoven-Haus erhaltene „Entwurf" (BH 58) stammt ausweislich des Wasserzeichens *Peter Zöh* mit großer Wahrscheinlichkeit aus dem ersten Viertel des Jahres 1823 (s. A. Tyson, *Prolegomena to a Future Edition of Beethoven's Letters*, S. 11/12; M. Solomon, *Beethoven and his Nephew*, S. 162, Anm. 100; M. Unger, *Beethoven über eine Gesamtausgabe seiner Werke*, S. 12, datiert den Entwurf mit 1822/23). Wegen seines privaten Charakters wird er kaum zum Versand gekommen sein.

[9] Vermutlich hat Beethoven keine weiteren Kanons geschickt, andernfalls hätte der Verlag sie veröffentlicht. In der Cäcilia sind lediglich WoO 180 und WoO 187 abgedruckt worden. Kanons und Notenscherze auf Tobias Haslinger beschäftigten Beethoven jedoch immer wieder (s. u.a. BKh Bd. 8, S. 79, 117 und 132 sowie verschiedene Skizzenhefte).

[10] s. Nr. 30.

[11] Vermutlich bezieht sich Beethoven auf den erschlossenen Brief Nr. 28.

[12] Beethoven hatte auf die Philharmonische Gesellschaft in London Rücksicht zu nehmen, der er ein befristetes exklusives Aufführungsrecht zugesichert hatte. (Zu den Verhandlungen s. MM S. 447, Anm. 2).

[13] Papierbeschädigung.

[14] WoO 180 und WoO 187, mit Nr. 23 geschickt. In WoO 180 ist mit ziemlicher Sicherheit E.T.A. Hoffmann (1776–1822) gemeint (s. G. Herre, *Aus der Arbeit an Beethovens Konversationsheften*, S. 492/93). WoO 187 bezieht sich auf den Hamburger Pianisten und Komponisten Karl Schwencke (1797–1870), der Beethoven im November 1824 besucht hatte.

[15] Über der Adresse Registraturvermerk: *„Beetho in Wien* den 19 *Merz* 1825".

30. Beethoven an B. Schott's Söhne

Vien *martii* 1825

Euer wohlgebohrn!

Hier folgen die *Nummern* der Werke Gesänge 3 *No* 121[1]

    Meße   *No* 123
    ouverture – 124
    Sinfonie – 125
    bagatellen – 126
    quartett – 127

die *tempos* vermittelst des M*etronoms* nächstens[2], der meinige ist krank, u. muß vom Uhrmacher wieder seinen gleichen stäten Puls erhalten – die *sinfonie* darf wie sie wissen vor Ende juli nicht erscheinen – das *quartett*, welches bereit liegt, würde mir auch sehr lieb seyn, wenn es noch eine Zeitlang nicht öffentl.

erschiene, man will's gar hoch ansezen mit dem *quartett*, Es soll das gröste u. schönste seyn *ut dicunt* was ich geschrieben, die besten virtuosen wetteifern hier es zu spielen[3] – für heute ‹Ende[4]› –

Ende –

soll nichts zu erfinden seyn, wie man auf Stereotipische Art sogleich seine werke vervielfältigen könnte, ohne dieser Geißel von *copisten* nöthig zu haben? – pensés[5] –

nächstens mehr – ihr mit liebe u. Achtung ergebenster

Beethoven

An *B. Schott Söhne in Mainz* Gr. <u>Herz. HofMus</u>. <u>*Verlag u. Handl Weyergarten*</u> <u>*lit F N 382*</u>[6]

Quelle: Autograph, 1 Doppelblatt, 3 beschriebene Seiten, ehemals bei Earl Spencer, Northamptonshire; heute Privatbesitz, Berlin.

[1] Die 3 Gesänge wurden später als op. 121b, op. 122 und op. 128 gezählt. Beethoven hatte vergessen, daß die Opuszahl 121 bereits für die Klaviertrio-Variationen (Kakadu-Variationen op. 121a) vergeben war. So erschienen op. 121b und op. 128 zunächst gemeinsam als op. 121.

[2] Die Metronomisierung der Symphonie sandte Beethoven am 13. Oktober 1826 (s. Nr. 59).

[3] Ignaz Schuppanzigh (1776–1830), Geiger, Komponist und Konzertunternehmer, spielte in den Quartetten der Fürsten Lichnowsky (1794–99), Rasumowsky (1808–14). 1816 ging er nach St. Petersburg, kehrte im April 1823 nach Wien zurück und gründete dort ein eigenes Streichquartett mit Karl Holz (2. Violine), Franz Weiß (Viola) und Joseph Linke (Violoncello). Das Ensemble brachte am 6. März 1825 op. 127 zur mißglückten ersten öffentlichen Aufführung. Erfolgreicher waren die Aufführungen unter den Geigern Joseph Böhm (1795–1876) am 23. März und Joseph Mayseder (1789–1863), s. hierzu den Brief Beethovens an Piringer (KK 1289), vgl. auch Alfred Ebert, *Die ersten Aufführungen von Beethovens Es-Dur Quartett (op. 127)*.

[4] Beethoven kennzeichnete die intendierte Wortfolge mit Zahlen: erfinden(4) soll(1) nichts(2) zu(3) seyn(5).

[5] Möglicherweise zu lesen als „pensez" im Sinne von „denken Sie daran, denken Sie darüber nach . . .".

[6] Registraturvermerk: *„Beethoven in Wien 1 April 1825"*. Es ist nicht zu klären, ob sich das Datum auf den Empfang des Briefes oder auf ein Antwortschreiben des Verlags bezieht.

31. Beethoven an B. Schott's Söhne

vien [7 *May* 1825.][1]

Euer Wohlgebohrn![2]

Im Begriff auf's Land zu gehen, u. eben in der *Reconvalescenz* von einer Gedärm Entzündung schreibe ich ihnen nur einige worte – bey der Stelle des opferliedes Zweite Strophe wo es heißt:

wünschte ich, daß man diese stelle so, wie ich sie hier schreibe, eintragen möchte, nehmlich[3]

---

[4]das *quartett* werden sie nun schon erhalten haben[5] Es ist dasselbe ihnen versprochene; ich konnte hier von mehrern Verlegern ein *Hon. von 60# dafür haben*[6], allein ich habe es vorgezogen, ihnen mein Wort zu halten –

Es hat jemand zu meiner Meße in C einen vortrefflichen deutschen *Text* gemacht ganz anders als dem *Leipziger*[7], wollten sie wohl selbe mit dem neuen *texte* neu auflegen – von geringern werken hätte [ic]h[8] 4 Gelegenheitlich geschriebene Märsche für ganze Türkische Musick[9] nebst einem Gratulations *Menuet*[10], das *Honor.* wäre 25# in Gold – wegen der Herausgabe der sämtl. werke habe ich die Papiere vor mir, u. werde ihnen nächstens das Nöthige hierüber vorlegen können, wenn ihnen anders noch daran gelegen ist – wegen Hennings-Streiche[11] hoffe ich nicht, daß sie Mißtrauen in mich haben, falls aber, will ich ihnen seinen Brief, worin er von allem abgeht die *overt.* betreffend, die sache wurde hier schriftlich mit *Bethman*[12] abgeschloßen, der bekanntlich sich mit der Gesellschaft zertragen. –

Nb: Es ist auch nachzusehn, ob beym chor des Opferliedes auch bey der Violonschellstimme *tutti i Violoncelli* angezeigt ist, wo nicht, muß es geschehen[13]. –

An die *Herrn B. Schott Söhne*, Hofmusik *Verleger* in *Mainz*[14].

Quelle: Autograph, 2 Blätter (ursprünglich 1 Doppelblatt), 3 beschriebene Seiten; Mainz, Stadt-bibliothek (Hs III 71, Nr. 15 und 16).
Teilfaksimile: Cäcilia 8 (1828), S. 66.

[1] Das Datum ist von fremder Hand ergänzt. Es wird durch den Registraturvermerk von Schott bestätigt (s. Anm. 14). Beethoven selbst gibt den Tag seiner Abreise nach Baden in einem Brief an Piringer (KK 1289) mit dem 7. Mai an.

² Den folgenden Teil bis zur Trennlinie druckte der Verlag als Faksimile in der Cäcilia ab (s.o.). Unter die Linie setzte er das Teilfaksimile aus Nr. 26.

³ Takt 44/45 in op. 121b. Das Autograph (Wien, Stadtbibliothek) zeigt in diesen Takten mehrere Korrekturen und wie im vorliegenden Brief zwei gültige Fassungen, die Beethoven offenbar beide publiziert sehen wollte. (Die Stichvorlage zu op. 121b ist verschollen.) Die Erstausgabe (PN 2279) gibt nur die tiefere Version wieder.

⁴ Die folgenden Zeilen (bis „schon erhalten haben") sowie „dasselbe ihnen" wurden von Schott mit Rötel unter- bzw. durchstrichen.

⁵ Die Stichvorlage zu op. 127 (im Archiv des Verlags B. Schott's Söhne in Mainz) hatte der Verlag im April 1825 erhalten.

⁶ Es ist nicht bekannt, welcher Wiener Verleger dieses Angebot gemacht hat. Vgl. aber Nr. 29, Anm. 5.

⁷ In der Originalausgabe der Messe op. 86 (1812) wurde zusammen mit dem lateinischen Text eine deutsche Unterlegung von Christian Schreiber veröffentlicht. Im Frühjahr 1823 verfaßte der Warmbrunner Musikdirektor Benedict Scholz eine freie Nachdichtung, auf die sich Beethoven hier wohl bezieht. (Das Exemplar aus Schindlers Besitz im Beethoven-Haus, SBH 768, BH 132.)

⁸ Siegelriß.

⁹ WoO 18, 19, 20 und 24. Der Verlag kaufte diese Werke jedoch nicht.

¹⁰ WoO 3, für Carl Friedrich Hensler zum Namenstag Ende Oktober/Anfang November 1822 geschrieben und am Abend des 3. November erstmals aufgeführt, von Schott nicht erworben.

¹¹ s. Nr. 26, Anm. 4.

¹² Eine schriftliche Vereinbarung mit Bethmann bezeugen die Konversationshefte (BKh Bd. 5, S. 113 und 138) sowie Beethovens Brief Nr. 26. Das Dokument ist nicht erhalten.

¹³ Den Nachtrag setzte Beethoven vor den Beginn des Briefes. Die letzten drei Wörter hat Schott mit Rötel unterstrichen.

¹⁴ Die Adresse stammt von der Hand des Neffen. Unter ihr der Registraturvermerk: „L.v. Beethoven Wien den 7 Mai 1825/21 [Mai 1825]".

32. B. Schott's Söhne an Beethoven

[Mainz, 21. Mai 1825]

[Antwort auf Beethovens Brief Nr. 31, Inhalt nicht näher bekannt.]

Quelle: Original nicht bekannt; Brief erschlossen aus Registraturvermerk auf Nr. 31.

33. Beethoven an B. Schott's Söhne

[Baden, 8. Juni 1825]

[Wohl Antwort auf Nr. 32, Inhalt nicht näher bekannt.]

Quelle: Original nicht bekannt; Brief erschlossen aus einer Eintragung in einem Konversationsheft (BKh Bd. 7, S. 300): „am 8ten juni nach Maynz geschrieb.[en]".

34. B. Schott's Söhne an Beethoven

[Mainz, 19. Juli 1825]

[Inhalt nicht näher bekannt.]¹

Quelle: Original nicht bekannt; Brief erschlossen aus Nr. 35.

¹ Es ist zu vermuten, daß in den Briefen Nr. 32 bis Nr. 34 das Projekt einer Gesamtausgabe der Werke diskutiert und schließlich von Schott zurückgewiesen wurde. Zu dieser Annahme führt Beethovens heftige Reaktion in Nr. 35, er werde, was die „Hauptpunkte" betreffe, nie mehr darüber schreiben, und nur die beständigen Aufforderungen des Verlages seien „schuld" daran gewesen. Während sonst die Verhandlungen normal weitergingen, trat der Gedanke einer Gesamtausgabe für ein Jahr zurück. Er wurde erst im Sommer 1826 (s. Nr. 57, Anm. 5) durch A.M. Schlesinger neu belebt. Möglicherweise wurde auch ein Angebot von op. 132 sowie von WoO 3, WoO 18−20 und WoO 24 abgelehnt (s. Nr. 31, Anm. 9 und 10 sowie Nr. 42, Anm. 4).

35. Beethoven an B. Schott's Söhne

Baden am 2-ten *august 1825*

Euer wohlgebohrn!

Es ist nachzusehn ob in der Meße hie u. da einiges so steht wie hier angeschrieb.

1) im *Kyrie* $\frac{3}{2}$

2) nach dem *Christe* wo das *Kyrie* wieder einfällt fehlt in den *clarinetten* ein 1/2

Takt Pause

3) im *gloria flauto 2do*

statt 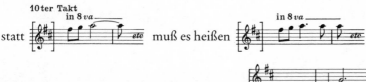 muß es heißen

4) eben allda *Allo ma non troppo e ben marcato*
87ter Takt

Nb: Bassi con pedale

im *credo* beym *incarnatus* muß gleich +anfangs+ bey den obern 4 Singstimmen *Solo* u. bey den Untern 4 Singstimmen *Coro* gesezt werden überhaupt ist dies durchgängig nöthig zu beobachten[1]. –

erst vor 14 Tägen erhielt ich die Hefte der Leipz.[iger] Musik.[alischen] Zeitung, wo ich ihre *Subscriptions*anzeige vom April gefunden[2], warum sie mir solches verheelten, weiß ich nicht, übrigens fände ich beßer d.g. in die allgemeinen öffentl. Zeitungen einrücken zu laßen, da die Musik. Zeit. zu wenig *publicität* haben – noch besonders aber hätte ich von der Herausgabe benachrichtigt sollen werden, da ich den <u>titel</u> ihnen von der <u>Meße</u> noch nicht <u>geschikt</u>, dies geschieht nun in einigen Tägen[3] halten sie daher noch lieber etwas zurück mit dem versenden, denn läßt es nur immer meine Zeit zu, so erhalten sie auch die Tempos derselb. Metronomisch *etc* die *sinfonie* wird einem großen Herrn gewidmet werden[4]. Es ist mit der Meße der selbe Fall obschon hier schon alles gewiß ist[5], mit der *sinfonie* ist's noch nicht der Fall – von mir wird nicht eine Note von dem was ihnen angehört wegegegeb. werden, sie wissen alles, die *overture* war in gefahr zum 2tenmal gestohlen zu werden[6], glücklicherweise entdekte ich's vor 12 tägen, u. dem Himmel sey dank, Es ward ‹alles› gänzlich vereitelt, beruhigen sie sich daher nur, ich würde es nicht schreiben, dächte ich nicht, daß sie etwas hören möchten, u. ‹auf› <u>mich</u> in Unrechtem verdacht hätten; nein[7] habe ich d.g. gethan u. nie wird man mich anders als höchst Rechtlich kennen –

ihren Brief vom 19ten Jul. erhielt ich vorgestern[8] durch die Frau von *Streicher*[9] – Sonst habe ich <u>keinen</u> erhalten – werde auch was die Hauptpunkte betr[ifft]* ihnen nie mehr darüber schreiben, indem nur ih[re]* [f]rüheren* beständigen Aufforderungen [an]* mich daran schuld waren, auf Kompl[imente]* versteh ich mich nicht, übrigens w[erde]* ich nächstens meinem Hr. *Bruder* in Ap[oll]* Hr. *A.[ppellations-Rat]* Weber[10] ‹nächstens› auftrag geben, einen Gerichtstag ‹für› denen Hrn. *B. Schott* auszuschreiben wie ich sie hier mit den *paternoster*gäßlern *etc* zu halten pflege den titel u. dedikation zur *overture* habe ich ihnen angezeigt, so wie auch zum *quartett*[11] – leben sie recht wohl ich bin begierig wer den Brief von ihnen an mich vom – auffangen wird.

ihr Ergebenster Beethoven

An *B. Schott Söhne* in Maynz abzugeben in der groß. heß. HofMusikverlags Handlung *weyergart*[12]

Quelle: Autograph, 2 Blätter, 3 beschriebene Seiten; Donaueschingen, Fürstlich Fürstenbergische Hofbibliothek (o.S.).
    Die mit * gekennzeichneten Wörter sind wegen Papierbeschädigung fragmentarisch.

[1] Die Stellen sind folgende: 1. Kyrie T. 124, in der Stichvorlage ist das Kreuz mit Rötel gestrichen, im folgenden Takt wurde ein Auflösungszeichen ergänzt, in der EA korrekt; 2. Kyrie

T. 214, in Stichvorlage und EA korrekt; 3. Gloria T. 10, blieb in Stichvorlage und EA unkorrigiert; 4. Gloria T. 446/47, die Generalbaßziffer 3 über dem e ist in der Stichvorlage korrekt, jedoch mit etwas dunklerer Tinte geschrieben, also offenbar nachgetragen, in der EA ebenfalls korrekt.

[2] Im Mai 1825 erschien im Intelligenzblatt Nr. IV zur Leipziger Allgemeinen Musikalischen Zeitung die Subskriptionsanzeige für die Werke 123−125. Sie trägt das Datum „20. April 1825".

[3] Den Titel schickte Beethoven in Nr. 38.

[4] Beethoven hatte mehrere Widmungsträger für die 9. Symphonie in Betracht gezogen (s. KH S. 380). Der „große Herr", dem sie schließlich dediziert wurde, war König Friedrich Wilhelm III. von Preußen.

[5] Die Missa solemnis widmete Beethoven, wie von Anfang an geplant, dem Erzherzog Rudolph.

[6] Zum ersten Mal wurde op. 124 von Henning „gestohlen" (s. Nr. 26). Es läßt sich nicht eindeutig feststellen, wer den zweiten „Diebstahl" plante. Möglicherweise geht Beethovens Äußerung auf eine Auseinandersetzung mit seinem Bruder Johann zurück, der die Ouvertüre nach England verkaufen wollte, obwohl er Schott bereits ein ausschließliches Eigentumsrecht eingeräumt hatte (s. Nr. 24, Anm. 12, Nr. 25, Nr. 26 und BKh Bd. 8, S. 24).

[7] Gemeint: nie.

[8] s. Nr. 34.

[9] s. auch BKh Bd. 8, S. 35 und Anm. 85 auf S. 336.
Die Pianistin Maria Anna (Nanette) Streicher (1769−1833), Tochter des Klavierfabrikanten Johann Andreas Stein, verheiratet mit Johann Andreas Streicher, übernahm nach dem Tode ihres Vaters (1792) mit ihrem Bruder Matthäus Andreas die Klavierfabrik, eröffnete aber 1802 mit ihrem Mann in Wien eine eigene Firma. Das Verhältnis zu Beethoven, seit 1796 belegbar und wohl bereits 1787 bei Beethovens Aufenthalt in Augsburg geknüpft, war besonders eng in den Jahren 1817/1818, als Nanette häufig in Fragen der Haushaltsführung um Rat gebeten wurde.

[10] Der Satz „übrigens werde ich . . . auftrag geben" ist wegen der Beschädigung der Handschrift und der von Beethoven verwendeten Abkürzungen schwer lesbar und bislang unkorrekt wiedergegeben worden. Anderson rekonstruiert „Bruder in [Linz und] Herr Gottfried Weber" („brother at [Linz and] Herr Gottfried Weber"). Die noch lesbaren Buchstaben und die Breite der Schadstelle sprechen jedoch gegen diese Rekonstruktion. Die Lesart von KK „mein Bruder in Wien an H. Gottfried Weber" (von MM übernommen) ist aus denselben Gründen zu verwerfen. Zur Abkürzung A. [= Appellationsrat] vgl. Nr. 40.

[11] Titel und Dedikation zu op. 124 hatte Beethoven in Nr. 26 mitgeteilt. Für op. 127 hat er sie möglicherweise in einem der verschollenen Briefe vor Nr. 35 angegeben.

[12] Unter der Adresse Registraturvermerk: „[L.]* v. Beethoven Baden 2 Aug 1825/7 Sept 1825".

36. Beethoven an B. Schott's Söhne

[Wien, 13. August 1825]

Euer Wohlgeboren![1]

Mit Erstaunen nehme ich im 7. Hefte der Cecilia S. 205 wahr, daß Sie mit den eingerückten *Canons* auch einen freundschaftlich mitgetheilten Scherz[2], der leicht für beissende Beleidigung genommen werden kann, zur Publicität brachten, da es doch gar nicht meine Absicht war, und mit meinem Character von jeher im Widerspruche stand, jemanden zu nahe zu treten.

Was mich als Künstler betrifft, so hat man nie erfahren, daß ich, man habe auch in diesem Punkte was immer über mich geschrieben, mich je geregt habe; was mich aber als Mensch betrifft, muß ich von einer ganz anderen Seite empfinden.

Obschon es Ihnen gleich auf den ersten Anblick hätte in die Augen springen sollen, daß der ganze Entwurf einer Lebensbeschreibung meines geachteten Freundes Herrn Tobias Haslinger nur ein <u>Scherz</u> war, und auch nicht anders gemeint seyn konnte, da ich, wie mein Brief besagt, zur Steigerung dieses Scherzes noch obendrein durch eine Aufforderung von Ihrer Seite ihn um die Einwilligung zur Herausgabe seiner Biographie anzugehen wünschte, so scheint es doch, daß es meine flüchtige, und oft unleserliche Schrift war, welche zu einem Mißverständnisse Veranlassung gab.

Meinem Zwecke, Ihnen Beyträge, welche Sie selbst verlangen, zu übersenden, wäre vollkommen entsprochen worden, wenn Sie nur die beyden *Canons* eingerückt hätten, deren Uiberschriften schon hinlänglich beweisen, daß sie mit einer Biographie Haslingers nicht leicht in Berührung kommen können; ich konnte mir es aber kaum träumen lassen, daß Sie eine Privat-Correspondenz mißbrauchen, und einen solchen Scherz dem Publikum vorlegen würden, welches sich Ungereimtheiten, die Sie erst noch einzuschalten beliebten (z.B. Zeile 2. „Kanons, die ich als <u>Beylagen</u>" *pp*)[3] gar nicht erklären kann.

Das Wort „geleert", welches mit zum Ganzen des humoristischen Umrisses gehört, könnte in einem Kreise, wo man sich scherzend unterhält, wohl gelten, nie aber fiel es mir ein, es öffentlich statt: <u>gelehrt</u> hinzusetzen.

Das hieße den Spaß zu weit treiben!

In Zukunft werde ich mich wohl zu hüthen wissen, daß meine Schrift nicht zu neuen Mißverständnissen Anlaß gebe.

Ich erwarte daher, daß Sie dieses ohne Verzug, und ohne Clausel oder Hinweglassung in die Cecilia aufnehmen werden, da die Sache einmahl so ist, wie ich sie hier erklärt habe, und keineswegs anders gedeutet werden darf.

Wien, am 13. August 1825.

L. van Beethoven[4].

Ich rechne ganz sicher darauf, daß dieser Aufsaz sogleich in die *Caecilia* eingerückt werde[5] –

ihr Ergebner *Beethoven*

<u>*Wien Herrn B. Schotts Söhne*</u> Musikhändler in <u>*Mainz.*</u> <u>Gegen *retour Recepisse*</u>
Aufgeber: Ludw. van Beethoven No 969

Entwurf[6]

‹Für An Schott›

Mit Erstaunen nehme ich im 7. Hefte der Cäcilia S. 205 wahr, daß Sie einen freundschaftlich mitgetheilten Scherz +der leicht für beissende beleidigung genommen werden kann+ ‹den ich Ihnen bey› bey Gelegenheit der ‹überschickten› eingerückten Canons ‹mittheilte›, zur ‹Öffentlichkeit› Publicität brachten, da es doch gar nicht meine Absicht war, und mit meinem Charakter von jeher im Widerspruche stand, jemanden zu nahe zu treten.

‹Da es beym› Obschon es Ihnen auf den ersten Anblick gleich hätte in die Augen springen sollen, daß ‹die› der ganze Entwurf einer ‹humoristi› Lebensbeschreibung meines geachteten Freundes Herrn Tobias Haslinger nur ein Scherz war, ‹der ihn› und auch nicht anders gemeint seyn konnte, da ich wie mein Brief besagt zur Steigerung dieses Scherzes noch obendrein durch eine Aufforderung von Ihrer Seite ihn um ‹seine› die Einwilligung ‹hierzu› zur Herausgabe seiner Biographie ‹angehen› anzugehen ‹ließ› wünschte, [Beethoven am Rand:] um den Scherz noch zu vermehren [Holz:] so scheint es doch, daß meine flüchtige und oft unleserliche Schrift zu einem Mißverständnisse Veranlassung gab ‹welches nur durch einen öffentlichen Widerruf gehoben werden kann.›

Meine‹r›m ‹Absicht› Zwecke, Ihnen ‹die verlangte› Beyträge ‹zur Cäcilia›, welche Sie selbst verlangten zu übersenden, wäre vollkommen entsprochen worden, wenn Sie nur ‹allein› die beyden Canons eingerückt hätten, deren Uiberschriften schon hinlänglich beweisen, daß sie mit ‹der› einer Biographie Haslinger's nicht in Berührung kommen können; ich konnte mirs aber kaum träumen lassen, daß Sie eine Privat-Correspondenz mißbrauchen, und einen ‹Brief› solchen Scherz dem Publikum vorlegen würden, welches sich Ungereimtheiten, die ‹ich gar nicht geschrieben habe› Sie erst noch einzuschalten beliebten (z.B. Zeile 2, Kanons die ich als <u>Beylagen</u> pp) gar nicht erklären kann.

<u>Das hieße den Scherz zu weit treiben! und schändet das Ansehen einer Zeitschrift</u>

Ich erwarte daher, daß Sie dieses ‹in bald möglichst› ohne Verzug und ohne Clausel oder Hinweglassung in die Cecilia aufnehmen werden.

[Beethoven:] da die sache einmal so ist, wie ich sie hier erklärt habe, u. keineswegs anders gedeutet werden kann. das wort geleert +welches nur mit zum ganzen des Scherzes gehört+ konnte in einem kreise, wo man sich scherzend unterhält, wohl statt haben, nie aber durfte dies im *publikum* statt gelehrt erscheinen

was mich betrift als Künstler So hat man nie erfahren daß, man habe auch in diesem Punkt was immer über mich geschrieben, mich je geregt habe, was mich aber als Mensch betrift, das ist wieder eine ganz andere Seite; –

Quelle: Original von der Hand von Karl Holz, Zusatz von Beethovens Hand, 2 Blätter (ursprünglich 1 Doppelblatt), 3 beschriebene Seiten; Mainz, Stadtbibliothek (Hs III 71, Nr. 17). Entwurf: 1 Doppelblatt, von der Hand von Karl Holz mit Zusätzen von Beethoven; Bonn, Beethoven-Haus (BH 51).

[1] Neben der Anrede Registraturvermerk: „13 *aug* 1825 *Beethoven*".

[2] s. Nr. 23, Anm. 15.

[3] Dies bezieht sich auf den Passus, den G. Weber der Publikation vorgesetzt hat (s. Nr. 23, Anm. 15).

[4] Der Namenszug stammt ebenfalls von Karl Holz. Die folgenden Zeilen sind von Beethoven hinzugefügt worden.

[5] Die Erklärung Beethovens wurde nicht in der Cäcilia abgedruckt.
    Am unteren Rand der Seite G. Weber mit roter Tinte: „Der Brief ist wahrscheinlich von *Haßlinger* selbst ‹rezens› geschrieben." Tatsächlich hat der Brief Haslinger vorgelegen. Von seiner Hand stammen Adresse und Absender (vgl. auch Beethovens Brief an Haslinger KK 1249).

[6] Der Entwurf zu dem Brief befindet sich auf einem Doppelblatt, das ursprünglich wohl zu einem Konversationsheft gehörte. Es enthält neben dem Brief verschiedene andere Gesprächs-notizen.

37. B. Schott's Söhne an Beethoven

[Mainz, 7. September 1825]

[Der Verlag lehnt Beethovens Ansuchen in Brief Nr. 36 ab. Die Wiedergabe der „romantischen Lebensbeschreibung" Haslingers sei korrekt, wie sich aus den Briefen Beethovens erweisen ließe.]

Quelle: Original nicht bekannt; Brief erschlossen aus Registraturvermerk von Nr. 35 und Bemerkung Webers auf Nr. 40 (s. dort Anm. 11d).

38. Beethoven an B. Schott's Söhne

[Wien, 25. November 1825]

Euer Wohlgeboren!

Die *Tempo*bezeichnung nach *Mälzl's* Metronom[1] wird nächstens folgen; ich sende Ihnen hier den Titel der Meße.

Mißa
composita, et
Seremißimo ac Eminentißimo Domino Domino Rudolpho Joanni Caesareo Prin-

cipi et Archiduci Austriae, S.R.E. Tit. s. Petri in monte aureo Cardinali et Archie-
piscopo Olomucensi profundißima cum veneratione
dicata[2]
a
Ludovico van Beethoven.

Die Pränumerantenliste muß der Dedication vorgestochen werden:

1. Der Kaiser von *Rußland*
2. der König von *Preußen*
3. der König von Frankreich u.
4. K. von *Dänemark*
5. Churfürst von *Sachsen*
6. Großherzog von *Darm*stadt
7. Großherz. von *Toscana*
8. Fürst *Galitzin*
9. Fürst *Radzivill*[3]
10. der *Caecilien*verein von Frankfurt.

Die Dedikazion der *Symphonie*[4] bitte ich, noch etwas zu verzögern, da ich hierüber noch unentschloßen bin; überhaupt aber ersuche ich Sie, die Herausgabe dieser Werke noch gegen 3 Monath zu verschieben; Sie werden mich dadurch sehr verbinden. Was fehlt, wird auf das Schnellste besorgt werden.

Ich ersuche Sie wiederhohlt, mir doch gütigst ein *Exemplar* von den verbeßer-ten *Fagotten* zuzuschicken[5].

Vielleicht haben Sie noch keine Versicherung des Eigenthums über das *Quar-tett in Es*[6] erhalten; ich füge selbe hiemit bey

Ihr ergebner Ludwig van *Beethoven*[7]

Daß die Herrn *B Schott* Söhne ein *Quartett in Es* für 2 *Violinen, Viola* u *Violoncell* von mir erhalten, u. dasselbe ganz allein *ihr Eigenthum* sey, bestättige ich hiemit laut meiner Unterschrift.
Wien am 25 Novembr 1825.

Ludwig *van Beethoven*[7]

An Die Herrn *B. Schott Söhne* Hofmusikalienverleger in *Mainz*.[8]

Quelle: Original von der Hand des Neffen Karl, Unterschriften von Beethoven, 1 Doppelblatt, 3 beschriebene Seiten; Mainz, Stadtbibliothek (Hs III 71, Nr. 18).

[1] Die Metronomangaben zu op. 123 hat Beethoven nie abgeschickt und wohl überhaupt nicht aufgestellt. Im übrigen ist die Korrektheit seiner Metronomangaben verschiedentlich ange-

zweifelt worden. Aus der Fülle der diesbezüglichen Literatur sei lediglich genannt P. Stadlen, *Beethoven und das Metronom*.

2 Auf den feinen Unterschied zwischen „dicare" (= weihen) und „dedicare" (= widmen) macht Kalischer (V, S. 203f.) im Zusammenhang mit einem kirchlichen Werk zu Recht aufmerksam. Die EA schreibt auf dem Titel dennoch „dedicata".

3 Die Subskribenten sind:

    Alexander I., Kaiser von Rußland (1777–1825)

    Friedrich Wilhelm III., König von Preußen (1770–1840)

    Ludwig XVIII., König von Frankreich (1755–1824)

    Friedrich VI., König von Dänemark (1768–1839)

    Friedrich August III., Kurfürst, seit 1806

      König Friedrich August I. von Sachsen (1750–1827)

    Ludwig I., Großherzog von Darmstadt (1753–1830)

    Ferdinand III., Großherzog von Toskana (1769–1824)

    Nicolai Fürst Galitzin (1794–1866)

    Anton Heinrich Fürst von Radzivill (1775–1833).

4 op. 125.

5 Im Februarheft der Cäcilia (Bd. 2, 1825) teilt Gottfried Weber auf S. 123ff. „Verbesserungen des Fagottes" mit, die auf den Fagottisten Carl Almenräder zurückgehen (s. hierzu auch BKh Bd. 8, S. 84). Möglicherweise hatte Beethoven bereits in einem früheren (verschollenen) Brief um diesen Artikel gebeten.

6 op. 127.

7 Die Unterschrift ist von Beethovens Hand. Unter der Eigentumserklärung notiert Weber, an den der Brief offensichtlich weitergeleitet wurde, mit Rötel: „Soll obiges vielleicht ins Intelligenzbl.[att]?". Die Erklärung wurde dort jedoch nicht abgedruckt.

8 Unter der Adresse Registraturvermerk: „*L. van Beethoven Wien* 25. *Nov.* 1825". Darunter J.J. Schott mit roter Tinte: „wieder *retour* auch diejenige [Briefe] retour welche Sie noch haben."

39. B. Schott's Söhne an Beethoven

[Mainz, vor 28. Januar 1826]

[Der Verlag bittet um Werke und um die Metronomangaben zu op. 123, op. 125 und op. 127.]

Quelle: Original nicht bekannt; Brief erschlossen aus Nr. 40.

40. Beethoven an B. Schott's Söhne

[Wien,] 28. Januar 1826

Euer Wohlgeboren!

Auf Ihr letztes Schreiben[1] melde ich Ihnen, daß Sie alles bald metronomisirt erhalten werden, ich bitte Sie, nicht zu vergessen, daß das erste Quartett dem Fürsten Galitzin dedicirt ist[2]. – Von der Ouverture[3] hat, so viel ich weiß, Math. Artaria bereits zwey Exemplare[4] von Ihnen erhalten; es würde mir lieb seyn, auch hiervon, so wie auch von dem Quartett, mehrere Exemplare zu erhalten. Sollte es geschehen seyn, daß ich Ihnen für die vorigen Exemplare noch nicht gedankt habe, so ist es wirklich aus Vergeßlichkeit geschehen; übrigens sollen Sie über-zeugt seyn, daß ich weder ein *Exemplar* verkaufe noch damit handle; es erhalten deren nur einige von mir werthgeschätzte Künstler, wodurch Ihnen kein Abbruch geschieht, da diese sich dieselben Werke doch nicht anschaffen könnten.

Noch muß ich mich erkundigen, ob Fürst Galitzin, als er Ihnen die Titulatur zur Dedication bekannt machte, ‹nicht› zugleich von Ihnen die nöthigen Exem-plare des Quartetts und der Ouverture verlangte, widrigenfalls ich dieselben von hier aus ihm senden müßte.

Uibrigens ersuche ich Sie, Ihre Sendungen an mich künftig durch Math. Artaria und nicht mehr durch Steiner zu bestellen, weil ich durch erstern alles schneller zu erhalten gedenke.

Bey der Messe dürfte die Pränumeranten-Liste vorangedruckt werden, und dieser erst die Dedication an den Erzherzog, wie ich sie Ihnen schon geschickt habe[5], folgen.

Wegen der Dedication der Synfonie werde ich Ihnen in kurzer Zeit Bescheid geben; sie war bestimmt, dem Kaiser Alexander gewidmet zu werden; die vorge-fallenen Ereignisse veranlassen aber diesen Verzug[6].

Sie verlangen neuerdings Werke von mir?

Beste!!

Ihr habt mich gröblich beleidigt!

Ihr habt mehrere *falsa* begangen![7]

Ihr habt euch daher erst zu reinigen vor meinem Richterstuhl allhier; sobald das Eis aufthauen wird, hat sich Maynz hieher zu begeben, auch der recensirende Ober-Appellations-Rath[8] hat hier zu erscheinen, um Rechenschaft zu geben und hie[mit][9] gehabt euch wohl!

Wir sind euch gar nicht besonders zugethan!

Gegeben, ohne was zu geben auf den Höhen von Schwarzspanien[10].
den 28. Jänner 1826   *Beethoven*[11]

il   *trillo*
Posaun   *minacciando*
16füßig

An *B. Schott's* Söhne Großh. Hess. Hof Musikalien- und Instrum Handl in *Maynz*[12].

Quelle: Original von der Hand von Karl Holz, Unterschrift von Beethoven, 1 Doppelblatt, 3 beschriebene Seiten; Mainz, Stadtbibliothek (Hs III 71, Nr. 24).

[1] Nr. 39.

[2] op. 127. Zu Fürst Galitzin s. Nr. 26, Anm. 7.

[3] op. 124.

[4] Beethoven hatte dies von Karl Holz (1798–1858) erfahren (s. BKh Bd. 8, S. 280). Der Wiener Verleger Mathias Artaria (1793–1835), Sohn des Musikverlegers Domenico (II) Artaria (1765–1823), übernahm 1822 die Kunsthandlung Daniel Sprenger in Wien. Artarias Bekanntschaft mit Beethoven wurde durch Holz vermittelt. Er veröffentlichte op. 130, op. 133 und op. 134.

[5] s. Nr. 38.

[6] Kaiser Alexander I. von Rußland starb am 1. Dezember 1825. Zur Dedikation s. auch Nr. 35.

[7] Die Vorwürfe beziehen sich u.a. wohl auf die gegen Beethovens Willen veröffentlichte „romantische Lebensbeschreibung" Haslingers. Die Randbemerkungen von Schott (s. Anm. 11c und d) zeigen, daß der Verlag und auch Weber den Abschnitt in diesem Sinne auffaßten.

[8] Hiermit ist Gottfried Weber gemeint.

[9] Siegelriß.

[10] Beethoven wohnte seit dem 15. Oktober 1825 im 2. Stock des Schwarzspanierhauses in der Alservorstadt. Der Verlag kannte diese Adresse nicht, fand aber beiliegend einen Zeitungsausschnitt, in dem einige Wohnungen „in dem sogenannten Schwarzspanierhause in der Alservorstadt Nr. 200" annonciert waren. Es ist nicht sicher festzustellen, aus welcher Zeitung der Ausschnitt stammt, vielleicht aus einer Nummer der „Posttäglichen Anzeigen aus dem k.k. Frag- und Kundschaftsamte in Wien", von der jedoch nur wenige frühe Exemplare erhalten sind.

[11] Die Unterschrift und die illustrierenden Noten mit dem dazugehörigen Text stammen von Beethovens Hand; „trillo minacciando" = drohender Triller.

Auf der Innenseite des Doppelblattes entspann sich in Form von Randbemerkungen ein Dialog innerhalb des Verlages:

a. fol. 1r, rechts unten mit roter Tinte, J.J. Schott: „Den Aufschluß über Schwarzspanien fanden wir zufällig im *Maculatur*papier."

b. links daneben, schwarze Tinte, G. Weber: „Ist ein Glück, sonst verstünde kein Mensch was das Gespaß vom Schwarzspanier bedeuten sollte."

c. fol. 2r, links seitlich mit rotem Tintenstrich markiert, J.J. Schott: „Was sagen sie dazu?"

d. anschließend, G. Weber: „Leidlich gutes Gespaß! Scheint aber unsere frühere Erwiderung schon wieder vergeßen zu haben womit wir ihm bemerklich gemacht, wie unangenehm er compromittirt wär wenn wir durch abdrucken seiner Originalbriefe beurkunden wollten daß keine Sylbe falsch ist. das können Sie ihm schreiben."

Oberhalb der Seite, J.J. Schott mit roter Tinte: „womöglich *prompt retour.*"

[12] Über der Adresse Registraturvermerk: *„Beethoven in Wien den 28 Jan 1826/10 Febr 1826."* Darunter: „Galitzin".

41. B. Schott's Söhne an Beethoven

[Mainz, 10. Februar 1826]

[Versöhnliche Antwort auf Beethovens Brief Nr. 40. Der Verlag berichtet von der bevorstehenden Eröffnung einer Filialhandlung in Paris und bittet hierfür um Werke.]

Quelle: Original nicht bekannt; Brief erschlossen aus Registraturvermerk auf Nr. 40 sowie aus Nr. 42 und aus einer Eintragung des Neffen im Konversationsheft 103 (fol. 59v) vom 5. März 1826: „Im letzten Brief reichen sie die Hände zur Versöhnung, bitten aber gleich, in diese Hände Werke zu legen."

42. Beethoven an B. Schott's Söhne

Vien am 28ten März 1826

Euer wohlgebohrn!

Heute erhalte ich durch den Preußischen Gesandten allhier, daß Se. Königliche Majestät genehmigen, ihnen allerhöchst die *Sinfonie* in *D mol* mit chören zu widmen[1] – Sie können also schon auf's Titelblatt denken u. die übrigen *embleme* der Königlich-Preußischen Formen *allegorisch* bedenken u. ausdenken u. ausführen laßen, damit kein verstoß vielmehr ein wohlgebildetes Titelblatt erscheine – die Metronomisirung sowohl der Meße als *Sinfonie* u. *quartett* nächstens. *Ars longa vita brevis*[2] – für Paris würde ich vieleicht ein neues *quartett* geben können[3], so wenig ich gewiß bloß um des *Honorars* wegen schreibe, so erfordern doch meine Umstände hierauf rücksicht zu nehmen, was aber nun, wenn ich noch auf meinen Brief wo ich 60# für ein *quartett* verlangte[4], noch die Antwort zu erhalten habe!! da wirklich die so große Konkurrenz das *Honora* noch höher bestimmt hat!! – ich will diese auch* daher nichts weiter sagen als daß ich jezt für ein solches *quartett* mindestens 80#[5] in Gold erhalte* – für die überschikten ex[emp]l[are] u. Uebersezungen[6] meinen verbindlichen Dank – *Apollos* Söhne sind etwas schwer zu versöhnen, wie schon *Homer* in der Iliade darstellt. Zur Sühnung sind 3 Fuder Johannesberger zu schicken, u. auf jedem Faß muß sich ein *Bachant*

ihr Ergebenster *Beethoven*

An *B. Schott* Söhne Berühmte Musikalien u. Instrumenten Handlung in Mainz[7]

Quelle: Autograph, 1 Doppelblatt, 3 beschriebene Seiten; Privatbesitz. Das Original konnte nicht eingesehen werden. Die ursprüngliche Fassung der durch Sterne (*) gekennzeichneten Passage ist auf den zur Verfügung stehenden Photographien nicht zu entziffern gewesen. Teilfaksimile (fol.1r+2r): *Musik und Dichtung*.

¹ Friedrich Wilhelm III., König von Preußen (1770-1840). Um die Genehmigung hatte Beethoven in einem Brief an den preußischen Gesandten Franz Ludwig Hatzfeld (1756-1827) angesucht (KK 1433).
² op. 123, op. 125 und op. 127. Zur Metronomisierung von op. 125 s. Nr. 59. Wegen der Metronomisierung von op. 123 wandte sich der Verlag noch am 12. Mai 1827 an Schindler. Aus einem weiteren Brief an ihn vom 30. Juni 1827 geht jedoch hervor, daß Schindler nicht helfen konnte. Auf die Metronomangaben zu op. 127 hat der Verlag später wohl verzichtet. Mit dem lateinischen Spruch, den er dreimal als Kanon vertont hat (WoO 170, WoO 192, WoO 193), spielt Beethoven anscheinend auf die knappe Zeit an, die ihm seine Kunst für eine so triviale Angelegenheit wie die Bestimmung der Metronomzahlen ließe.
³ op. 131.
⁴ Beethoven bezieht sich vermutlich auf einen verschollenen Brief vom Frühsommer 1825. Ein Honorar von 60 Dukaten für ein Quartett nennt er erstmals bei der Übergabe von op. 127 (s. Nr. 29, Anm. 5 und Nr. 31, Anm. 6), ohne es jedoch von Schott zu verlangen. Möglicherweise hat er aber op. 132 zu diesem Preis erfolglos angeboten.
⁵ Für op. 132 hatte Beethoven von Schlesinger 80 Dukaten erhalten (KK 1342), von Mathias Artaria die gleiche Summe für op. 130 (s. KH 394 u. BKh Bd. 8, S. 252f.).
⁶ Es handelt sich hier wohl um die in Nr. 40 angeforderten Exemplare von op. 124, die der Verlag inzwischen, zusammen mit den zugehörigen Klavierauszügen (Übersetzungen), geschickt hatte.
⁷ Registraturvermerk unter der Adresse: „*Beethoven* in *Wien* den 28 *Merz* 26/6 *april* 26."

43. B. Schott's Söhne an Beethoven

[Mainz, 6. April 1826]

[Der Verlag fragt nach dem von Beethoven im voraufgehenden Brief angebotenen Quartett op. 131, zeigt sich mit der Honorarforderung von 80 Dukaten einverstanden und schlägt einen Zahlungsmodus in zwei Fristen vor. Möglicherweise wird in diesem Brief auch der Verdacht geäußert, Beethoven habe op. 127 nochmals an Schlesinger verkauft.]

Quelle: Original nicht bekannt; Brief erschlossen aus Registraturvermerk auf Nr. 42 und aus Nr. 44 (Anm. 8).

44. Beethoven an B. Schott's Söhne

Wien am 20 *May* 1826

Herrn *B. Schott* Söhne in *Mainz*.

Mit Geschäften überhäuft, und stets mit meiner Gesundheit leidend, konnte ich Ihnen Ihr Geehrtes vom 6ten April nicht früher beantworten. Auch war damals das *Quartett* noch nicht vollendet, welches jezt beendiget ist¹. Sie können wohl denken, daß ich von dem Honorar von ‹60› 80#, welches mir für beyde frühern *Quartetten,* die gleich auf das Ihrige[2] folgten angebothen und bezahlt wurde, nicht gern abgehe. Da Sie aber dieses *Honorar* mir bereits zugestanden haben, so gehe ich mit Vergnügen Ihren Vorschlag ein, dasselbe in 2 Fristen mir verabfolgen zu lassen. Belieben Sie mir daher zwey Wechsel, den einen von vierzig Dukaten *a vista,* den andern mit eben so viel nach zwey Monathen zahlbar, zuzusenden. Da Sie von dem Unglück, welches das *Fries*'s[che]* [Haus]* betroffen hat[3], ohne Zweifel wissen, so wäre es mir am liebsten, wenn [Sie]* die Wechsel an *Arnstein* u. *Eskeles*[4] anweisen wollten.

Die *Metronomisirung* erhalten Sie, von heut in 8 Tagen mit der Post. Es geht langsam, da meine Gesundheit Schonung erfordert. Von dem *Quartett* in *Es* von Ihnen habe ich noch nichts erhalten[5]; eben so wenig die *Minerva*[6]. – Nochmahls muß ich Sie bitten, daß Sie ja nicht denken möchten, ich wolle irgendein Werk 2 Mahl verkaufen. Wie es mit der *Ouverture* war, wissen Sie selbst[7]. – Unmöglich hätte ich Ihnen über die Beschuldigung, Ihr *Quartett Schle*singer'n nochmahls verkauft zu haben[8], antworten können, denn so etwas wäre wirklich zu schlecht, als daß ich mich darüber vertheidigen möchte. So etwas kann auch nicht durch den besten Rheinwein abgewaschen werden. Hiezu müßen noch *Liguorian*ische Büßungen, wie wir sie hier haben, kommen[9].

Ihr ergebenster l. v. Beethoven

N.B. Ich ersuche Sie um schleunige Beantwortung dieses Schreibens.

An die *Herren B. Schott Söhne* in *Mainz*[10].

Quelle: Original von der Hand des Neffen Karl, Unterschrift von Beethoven, 1 Doppelblatt, 1 beschriebene Seite; Mainz, Stadtbibliothek (Hs III 71, Nr. 19).
  Die mit * gekennzeichneten Wörter sind durch Siegelriß beschädigt.

[1] op. 131.
[2] op. 127.
[3] Am 29. April 1826 mußte das Bankhaus Fries Konkurs anmelden.
[4] Nathan Adam Arnstein (1743–1838) hatte 1787 zusammen mit seinem Schwager Bernhard Eskeles (1753–1839) und mit Salomon Herz (1743–1825) das Wiener Großhandlungshaus Arnstein & Eskeles gegründet, das zu den führenden Häusern Wiens gehörte.
[5] Die Exemplare hatte Beethoven in Nr. 40 angefordert.
[6] Es ist nicht geklärt, worum es sich handelt. Beethoven könnte die Cäcilia gemeint haben. „Minerva" hieß ein Beiblatt zum „Allgemeinen musikalischen Anzeiger", der von Franz Stoepel 1826 in Frankfurt a.M. herausgegeben wurde (nur ein Jahrgang). Schott vertrieb 1821 jedoch auch „Minerva"-Abdrucke (Kupferstiche?), wie aus der Verlagskorrespondenz hervorgeht.
[7] Gemeint ist der Henningsche Klavierauszug von op. 124 (s. Nr. 26, Anm. 4).
[8] Bereits 1825 unternahm Schlesinger verschiedene Versuche, op. 127 für seine Gesamtausgabe zu erwerben (s. BKh Bd. 8, S. 154): „Schlesinger kauft auch das 1te Quartett von den Schott. Sie fürchten sich, wenn sie es nicht geben, daß er's nachsticht". Im Jahre 1827 sind Schott und

Schlesinger endlich zu einem Übereinkommen gelangt (s. S. Brandenburg, *Die Quellen von Beethovens Quartett op. 127*).

⁹ Mit der Formulierung „Liguorianische Büßungen" spielt Beethoven wahrscheinlich auf die Strenge des von Alfonso Maria de Liguori (1696–1787, 1839 heilig gesprochen) gestifteten Redemptoristenordens an.

¹⁰ Registraturvermerk unter der Adresse: „*L.v. Beethoven Wien* 20t *Mai* 1826/bw. 9t *Jun* 1826".

45. B. Schott's Söhne an Franck & Comp.

[Mainz, 8. Juni 1826]

[Anweisung von 40 Dukaten für Beethoven als erste von zwei Raten für op. 131.]

Quelle: Original nicht bekannt; erschlossen aus Nr. 54.

46. B. Schott's Söhne an Beethoven

[Mainz, 9. Juni 1826]

[Der Verlag meldet Beethoven, daß der erste Teil des Honorars für op. 131 bereits mit Schreiben vom 8. Juni beim Bankhaus Franck angewiesen sei.]

Quelle: Original nicht bekannt; Brief erschlossen aus Empfangsbestätigung auf Nr. 44 und Beginn von Nr. 48.

47. B. Schott's Söhne an Beethoven

[Mainz, 8. Juli 1826]

[Der Verlag meldet Beethoven im Postskript dieses Briefes, daß er dem König von Preußen zwei Exemplare von op. 125 zusenden will.]

Quelle: Original nicht bekannt; Brief erschlossen aus Nr. 51.

48. Beethoven an B. Schott's Söhne

Wien am 12t July 1826.

Herrn *B. Schott* Söhne in Maynz

In Beziehung auf Ihr geehrtes Letztes, worin Sie mir anzeigen, daß Sie mir die erste, sogleich zu erhebende Hälfte des *Honorars* für mein neuestes Quartett bey Herrn Frank[1] hier bereits angewiesen haben, melde ich Ihnen, daß das erwähnte Werk vollendet ist, und zur Ablieferung bereit liegt. Es erübriget also nunmehr nichts, als daß Sie so gütig sind, mir eine Anweisung auf die zweyte, in 2 Monathen zu erhebende Hälfte (vierzig Dukaten) zu übermachen; sobald ich selbe erhalten werde, werde ich nicht s[äumen]* das Werk an Herrn Frank zu überliefern.

Ich würde aus diesem Umstande, den ich bloß einer kleinen [Ver]*geßlichkeit[2] von Ihrer Seite zuschriebe, mir gar nichts machen, wenn ich nicht meiner Gesundheit wegen gesonnen wäre, in Kurzem eine kleine Reise anzutreten[3], wozu ich noch einer Summe Geldes benöthige, welche ich gegen eine solche Anweisung leicht erhalten werde[4].

Ich schließe mit der Bitte, mir mit umgehender Post diese Anweisung zu übersenden, da mein Aufenthalt hier nur noch von sehr kurzer Dauer seyn wird; und bin mit Hochachtung Ihr ergebenster

l. v. Beethoven

Wien. An Herrn *B. Schott* Söhne in *Mainz*[5].

Quelle: Original von der Hand des Neffen Karl, Unterschrift von Beethoven, 1 Doppelblatt, 1 beschriebene Seite; Mainz, Stadtbibliothek (Hs III 71, Nr. 20).
    Zu diesem Brief existiert ein eigenhändiger Entwurf Beethovens in Konversationsheft 113, fol. 19r f., der sehr verwischt und kaum lesbar ist: *„Schott* sowohl *Messe* als *Sinfoni* folgt *metronosirung metronomisirung* ich mögte gern die ‹leztere› *sinfonie* bald dem König schicken ich muß entfernte Bäder brauchen daher mehr Geld nöthig wenn ich nur eine Anweisung [das Folgende unlesbar]. In Erwiderung Ihres Geehrten [unlesbar] melde ich Ihnen, daß das *Quartett* [unlesbar] vollendet u zur Ablieferung bereit liegt; es erübrigt also [nun] nichts mehr, als daß [sie so gütig sind], mir eine Anweisung auf die in 2 Monathen zu erhebende 2te Hälfte [unlesbar] zu übermachen; sobald ich selbe besize, werde ich sogleich das *Quartett* an Herrn *Frank* abgeben".
    Die mit * gekennzeichneten Wörter sind durch Siegelriß beschädigt.

[1] Johann Jakob Ritter von Franck (um 1777–1828), war Besitzer der Firma Franck & Comp., die als k.k. privilegierte Großhandlung eingetragen war. Seine Gesellschafter waren Joseph von Franck und Heinrich Aloys Schuster. Hier ist die Rede von der ersten Rate für op. 131.

[2] Im Konversationsheft 113, fol. 19v, rät der Neffe: „ich glaube, wir brauchen nicht zu schreiben, daß es vergeßen worden sey, weil das doch aussieht, als wenn man Mißtrauen hegte".

[3] Im Sommer 1826 plante Beethoven eine Reise nach Ischl (s. Konversationsheft 112, fol. 25v u. 32v). Sie kam wegen des Selbstmordversuchs des Neffen nicht zustande.

[4] Wahrscheinlich wollte sich Beethoven den erst in zwei Monaten fälligen Wechsel für die zweite Rate beleihen oder diskontieren lassen. Der Verlag hatte aus unbekannten Gründen zunächst

nur einen der beiden von Beethoven ausbedungenen Wechsel geschickt, und zwar den sofort zahlbaren.

5 Registraturvermerk unter der Adresse: „*L. van Beethoven Wien* 12 *Jul* 1826/bw. 19t *Jul.*"

49. B. Schott's Söhne an Beethoven

[Mainz, 19. Juli 1826]

[Der Verlag schickt einen im August fälligen Wechsel über 40 Dukaten als zweite Rate für op. 131, zahlbar bei Ablieferung des Manuskripts.]

Quelle: Original nicht bekannt; Brief erschlossen aus Registraturvermerk auf Nr. 48 und Anfang von Nr. 52.

50. B. Schott's Söhne an Franck & Comp.

[Mainz, 19. Juli 1826]

[Der Verlag informiert Franck & Co., daß er einen zweiten Wechsel über 40 Dukaten, zahlbar Mitte August 1826, gezogen habe. Der Wechsel sei an Beethoven als zweite Rate des vereinbarten Honorars für op. 131 gegen Übergabe des Manuskripts auszuzahlen.]

Quelle: Original nicht bekannt; Brief und Datum erschlossen aus Nr. 52.

51. Beethoven an B. Schott's Söhne

Wien am 26ten July 1826

Herrn B. Schott Söhne in Maynz

Aus dem Postskript Ihres Geehrten vom 8ten dieses ersehe ich, daß Sie dem König von Preußen zwey Exemplare der *Symphonie*[1] zusenden wollen. Ich bitte dieß vor der Hand noch aufzuschieben, da ich dem König von hier aus durch einen Kourier ein geschriebenes Exemplar dieses Werkes zu schicken gesonnen bin², welches auch auf diesem Wege ohne alle Gefahr bewerkstelligt werden kann. Nur ersuche ich Sie, mit der Herausgabe so lange zu verziehen, bis ich Ihnen melde, daß der König im Besitz der *Copie* ist; Sie sehen ein, daß mit der Publizierung eines Werkes der Werth einer *Copie* aufhört. Für die dem König [be]stimmten* Exemplare bitte ich ausgesucht schönes Papier zu besorgen.

In meinem Letzten vom 12ten dieses³, welches Sie ohne Zweifel w[erden]* erhalten haben, schrieb ich Ihnen, daß ich meiner wankenden Gesundheit wegen eine kleine Reise⁴ zu unternehmen entschloßen bin; ich erwarte hiezu nur noch Ihre Anweisung auf die *Herrn* Frank hier, um nach deren Empfang meinen Vorsatz unverzüglich auszuführen.

Ich bitte also um gefällige Beschleunigung Ihrer Rückschrift.

Mit Hochachtung Ihr ergebenster

Beethoven

Nachschrift

der nunmehrige t̲o̲b̲i̲a̲s̲⁵ *primus*, gewesener *secundus*⁶, beschwert sich, daß viele Nachfragen um das *quartett* aus *Es* geschehen, und er schon vor 2 Monathen um einen N̲a̲c̲h̲t̲r̲a̲g̲ deswegen geschrieben, aber ohnerachtet dessen nicht erhalten – dieses gehört zu den Heften v̲o̲n̲ ̲S̲c̲h̲w̲a̲r̲z̲-̲s̲p̲a̲n̲i̲e̲n̲, welche nun bald erscheinen werden⁷ ——

An die Herrn *B. Schott Söhne* in *Maynz*⁸

Quelle: Original von der Hand des Neffen Karl, Unterschrift und Nachschrift von Beethoven, 1 Blatt, 1 beschriebene Seite; Mainz, Stadtbibliothek (Hs III 71, Nr. 21).
    Die mit * gekennzeichneten Wörter sind durch Siegelriß beschädigt.

¹ op. 125.
² Beethoven sandte die Abschrift erst Ende September 1826 an den König von Preußen (s. den Brief KK 1434, der mit 27./28. September zu datieren ist. Vgl. auch Nr. 57, Anm. 1). Für den Erhalt bedankte sich dieser in einem Schreiben vom 25. November 1826 (Kal V, S. 270). Die Abschrift befindet sich heute in der Deutschen Staatsbibliothek in Berlin (aut. 35,1).
³ s. Nr. 48.
⁴ s. Nr. 48, Anm. 3.
⁵ Der Name „Tobias" ist metrisiert durch Kürze-Zeichen unter „o" und „a" und ein fünffaches Länge-Zeichen unter „bi".
⁶ Gemeint ist Tobias Haslinger, der zunächst Teilhaber ("secundus") der Steinerschen Musikalienhandlung war und diese dann im Juli 1826 selbständig übernahm ("primus").
⁷ Beethoven wohnte in dieser Zeit im Schwarzspanierhaus in der Alservorstadt. Möglicherweise spielt er in dieser Anmerkung auf den abzuhaltenden „Gerichtstag" an (s. auch Nr. 40), auf den hin alle „Vergehen" in ein Anklage-Heft eingetragen werden sollten.
⁸ Registraturvermerk: „*Beethoven Wien 26 Juli 1826/2 augt 26.*"

52. Beethoven an B. Schott's Söhne

Wien am 29t July 1826

Herrn *B. Schott* Söhne in *Mainz.*

Ich beeile mich, Sie von dem richtigen Empfang Ihres Geehrten vom 19ten dieses[1] in Kenntniß zu setzen.

Zugleich melde ich Ihnen, daß ich in einigen Tagen das Quartett[2], wie auch Ihr Schreiben an Herrn Frank abliefern werde[3]; dieß würde schon geschehen seyn, wenn nicht mein Bestreben, Ihnen das Werk ganz correct zum Stiche zu übersenden, mich bestimmte, es noch ein Mahl auf das Genaueste durchzusehen.

Für die Übermachung Ihres Wechsels danke ich Ihnen herzlich* u. ersuche Sie wiederhohlt, diese Bitte von meiner Seite nicht als einen Beweis von Mißtrauen gegen Ihr geehrtes Haus zu betrach[ten.]* Die Metronomisirung werden Sie in Kurzem erhalten.

So sehr ich nun wünschte, Ihnen über einen, für Sie und mich gleich wichtigen Punkt zu schreiben[4], so bin ich doch so sehr von Geschäften überhäuft, daß es mir für heute unmöglich ist. Ich verschiebe daher die ausdrückliche Erklärung auf den nächsten Posttag, und bin

Ihr ergebenster *Beethoven*

An Herrn Herrn *B. Schott* Söhne in *Mainz*[5].

Quelle: Original von der Hand des Neffen Karl, Unterschrift von Beethoven, 1 Blatt, 1 beschriebene Seite; Mainz, Stadtbibliothek (Hs III 71, Nr. 21a).
Die mit * gekennzeichneten Wörter sind durch Siegelriß beschädigt.

[1] s. Nr. 49.
[2] op. 131.
[3] Nr. 50.
[4] Vermutlich die Gesamtausgabe seiner Werke betreffend.
[5] Rechts seitlich neben der Adresse Registraturvermerk: „*Beethoven Wien 29 Juli* 1826."

53. B. Schott's Söhne an Beethoven

[Mainz, 2. August 1826]

[Der Verlag äußert möglicherweise den Wunsch, das zu liefernde Quartett möge „ja ein original quartett seyn".]

Quelle: Original nicht bekannt; Brief erschlossen aus Registraturvermerk auf Nr. 51 und aus Nr. 55.

54. Beethoven an B. Schott's Söhne
(Quittung)

Wien 14. *Aug* 1826

Herren *B. Schotts Söhnen in Mainz*

Durch d[ie] H[erren] *franck* e[t] C[omp.] allhier sind mir die m.[it] B.[rief] v. 8 Juny d.[iesen] J.[ahres][1] angewiesenen *Vierzig* St.[ück] k.k. *Ducaten*

sage 40. #

gegen Übergabe eines *Manuscriptes* richtig zugemittelt worden, welches ich auf Verlangen doppelt für einfach gültig bestätiget habe[2].

Ludwig *van Beethoven*

Quelle: Original von fremder, nicht identifizierter Hand, Unterschrift von Beethoven, 1 Blatt, 1 beschriebene Seite; Mainz, Archiv des Verlags B. Schott's Söhne (o.S.).

[1] s. Nr. 45.
[2] Der Sinn des Satzes ist dunkel. Wahrscheinlich bestätigt Beethoven hier zum zweitenmal den Empfang der ersten Rate von 40 Dukaten für op. 131. Eine andere Quittung für die erste Rate sowie Quittungen für die zweite Rate sind nicht überliefert. Vermutlich löste Beethoven an demselben Tage (14.8.) auch den zweiten Wechsel ein (vgl. Konversationsheft 115, fol. 36r und Konversationsheft 118, fol. 6r). Ein doppelter Beleg wurde für das Bankhaus und für den Verlag benötigt. In einer Jahresabrechnung des Bankhauses Franck für Schott vom 31. Dezember 1826 (Mainz, Archiv des Verlags B. Schott's Söhne) sind zwei Posten über je 40 Dukaten auf den Namen Beethoven verzeichnet. Sie sind mit 15. und 16. August datiert. Die beiden Beträge wurden anscheinend am 16. August und am 19. September verbucht.

55. Beethoven an B. Schott's Söhne

[Wien,] Sonnaben's am 19ten *aug.* 1826

Euer wohlgebohrn!

Ich melde ihnen nur, daß das *quartett*[1] bey Frank abgegeben worden sey vor 7 Tägen[2], sie schrieben, daß es ja ein *original quartett* seyn sollte, es war mir empfindlich, aus Scherz schrieb ich daher ‹auf die› bey der Aufschrift, daß es zusammen getragen[3], Es ist Unterdeßen Funkel nagel<u>neu</u> – die Metronomisirungen (hohl der Teufel allen Mechanismus) folgen – folgen – folgen –

mich hat ein großer Unglücksfall[4] betroffen, aber durch Gottes Hülfe wird es sich noch vieleicht güngstig wenden –
Freundschaftlich ihr Ergebenster

Beethoven

Derjenige, welcher schon mehrmals die Briefe an Sie geschrieben, mein lieber angenommener Sohn kam beynahe durch sich selbst um's Leben, noch ist Rettung möglich.

An die Herrn *B. Schott* Söhne in Maynz[5]

Quelle: Autograph, 1 Blatt, 1 beschriebene Seite; Philadelphia, Historical Society of Pennsylvania, Dreer Collection (o.S.).
Faksimile: Sonneck, S. 144.

[1] op. 131.
[2] s. die Quittung vom 14. August (Nr. 54).
[3] Vermutlich drang der Verlag in dem Brief vom 2. August (Nr. 53) darauf, auch „ja ein *original quartett*" zu erhalten, weshalb Beethoven die revidierte Stichvorlage (heute: Mainz, Archiv des Verlags B. Schott's Söhne) verärgert mit der Aufschrift versah: „N.b. Zusammengestohlen aus Verschiedenem diesem und jenem".
[4] Beethoven bezieht sich hier auf den Selbstmordversuch, den sein Neffe Karl (1806–1858), der Sohn des Bruders Kaspar Karl am 6. oder, weniger wahrscheinlich, 5. August 1826 unternommen hatte. Das Datum ergibt sich aus einer Rekonstruktion des Konversationsheftes 114 und aus dem Termin der Einlieferung Karls in das Krankenhaus (7.8.1826). Die ältere Literatur setzt den Selbstmordversuch eine Woche früher an.
[5] Über der Adresse Registraturvermerk: „*Beethoven Wien 19 August* 1826", sowie von der Hand J.J. Schotts: „diesen Brief bald retour."

56. Beethoven an B. Schott's Söhne

[Wien, 16. September 1826][1]
am 16ten *aug. 1826*

Sehr werthe!

Gestern erhielt ich endlich *Exempl.* von den *sinfonie quartett*[2] *et[c]* Wofür ich ihnen ergebenst danke, jedoch erinnere ich in der geschwindesten geschwind[igkeit] nur etwas nemlich:

hier sind die worte ausgelaßen ‹*l'ultima volta si prende*› | *dopo il maggiore Presto si ricommincia dal segno* ℔ *il minore* $\frac{3}{4}$ *e continuendo si fa la seconda parte solamente una volta fin' a questa fermata; poi si prende subito la coda des Maggiore* |

Vno I mo
poco Ritard.

ja ‹bey› Nach dem lezten Takt ist sogar das ℔ *D.S.* gänzl. ausgelaßen[3] – Sie werden

62

das *quartett*[4] schon erhalten haben sehn sie doch nach, ob beym e[rste]n[5] Stück desselben beym Eintritt der 2-ten ViolinStimmen

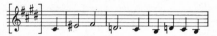

auch die ♮ vor *D* angemerkt sind? wenigstens fand ich selbe in meiner Partitur später nicht[6] – wenn Sie Gelegenheit haben später mir noch einige Partitur*Exemplare* der *Sinfonie* zu schicken, wird es mich freuen. – eiligst u. schleunigst der Ihrige

Beethoven

An *B. Schott* Söhne in Maynz[7]

Quelle: Autograph, 1 Blatt, 1 beschriebene Seite; Basel, Paul-Sacher-Stiftung (o.S.).

[1] Beethoven irrte sich anscheinend in der Monatsangabe, denn wenn op. 131 am 14. August „bey Frank abgegeben" wurde (s. Nr. 54 und Nr. 55), konnte er am 16. August nicht annehmen, daß das Quartett schon beim Verlag eingetroffen sei. Noch am 5. September 1826 hatte Beethoven kein Exemplar von op. 125 erhalten (s. Konversationsheft 117, fol. 9v), und in der Zeit zwischen 25.–30.8.1826 (Konversationsheft 116, fol. 45v) wurde eigens über jenes Auflösungszeichen gesprochen, das am Beginn des 1. Satzes von op. 131 zu setzen war. Daher ist der Brief wahrscheinlich am 16. September geschrieben.

[2] op. 125 und op. 127 (s. die Bitte um Exemplare von op. 127 in Nr. 40).

[3] Es handelt sich um die Takte 394 und 530 in op. 125. Ein ähnlich lautender Text ("dopo il maggiore . . .") wurde von fremder Hand auf einen Zettel geschrieben und in die Stichvorlage auf S. 69 eingeklebt. Das D.S.-Zeichen wurde in der Stichvorlage offenbar von Beethovens Hand hinter „Dal segno" auf S. 90 schon vor der Übergabe an den Verlag ergänzt.

[4] op. 131.

[5] Papierbeschädigung.

[6] Der Verlag ergänzte das Auflösungszeichen in der Stichvorlage mit Rötel und übernahm es in die EA. Das Autograph, z.Z. Biblioteka Jagiellońska, Kraków (Artaria 211), hat das Auflösungszeichen nicht, wohl aber die Stimmenabschrift der Frühfassung des ersten Satzes (Berlin, Deutsche Staatsbibliothek, Artaria 212).

[7] J.J. Schott vermerkt auf der Adressenseite mit Rötel: „Wollen Sie doch in das nächste Heft der *Caecilia* die Erata in der *Sinfonie Partitur* geben". Weiter unten: „Brief *retour*".

57. Beethoven an B. Schott's Söhne

[27./28. September 1826][1]
Wien am 29ten *September* 1826.

Herrn *B. Schott's* Söhne in Maynz.

Im Begriffe, mich aufs Land zu begeben, melde ich Ihnen eiligst, daß Sie nächstens die Metronomisirung der *Symphonie*[2] erhalten werden.

Das *Quartett* aus *Cis moll*[3] werden Sie hoffentlich schon haben; erschrecken Sie nicht über die 4 Kreuze. Das Werk wird hier in Kurzem zum Vortheil eines Künstlers gegeben werden[4].

Schließlich muß ich Sie bitten, das Nöthige wegen der Herausgabe meiner sämmtlichen Werke zu beschleunigen; ich kann es Ihnen nicht verhehlen, daß, wenn ich nicht so fest auf meine Versprechungen hielt, Sie durch Vorschläge, welche mir über diesen Gegenstand von andern Verlegern geschehen sind, leicht in Nachtheil kommen könnten[5]. In der Hoffnung, hierüber recht bald von Ihnen zu hören

Ihr ergebner *Beethoven*

P.S.
Noch muß ich bemerken, daß im 2ten Stück der *Symphonie* nach dem letzten Takte des *Maggiore* das *D.S.* vergessen ist[6].

Herrn Herrn *B. Schott's* Söhnen in *Mainz.*

Ludw. van Beethoven Alservorstadt im Schwarzspaningerhaus[7]

Quelle: Original von der Hand des Neffen Karl, Unterschrift von Beethoven, 1 Blatt, 1 beschriebene Seite; Mainz, Stadtbibliothek (Hs III 71, Nr. 22).

[1] Aus dem Konversationsheft 120 geht hervor, daß dieser Brief sowie derjenige an König Friedrich Wilhelm III. (KK 1434) abends am 27. September 1826 konzipiert und am 28., vor der Abreise nach Gneixendorf, geschrieben wurde.

[2] op. 125.

[3] op. 131.

[4] Wahrscheinlich für Ignaz Schuppanzigh (s. Konversationsheft 119, fol. 21v). Es ist nicht bekannt, ob und wann das Konzert stattfand.

[5] A.M. Schlesinger hatte bei seinem Besuch im Sommer 1826 in Wien erneut Interesse an einer Gesamtausgabe gezeigt. Er nahm darauf in einem Brief vom 11. November (UngerV, Nr. 125) Bezug: „Sehr viel Vergnügen würde es mir machen, Ihre completten Werke herauszugeben, wie ich Ihnen bereits in Wien gesagt."

[6] s. bereits Nr. 56, Anm. 3.

[7] Die Absenderangabe stammt von der Hand Tobias Haslingers (s. auch Adresse u. Absender Nr. 36). Registraturvermerk unter der Adresse: „*Beethoven in Wien* den 29 Sept 1826/5 oct 26."

58. B. Schott's Söhne an Beethoven

[Mainz, 5. Oktober 1826]

[Der Verlag bittet vermutlich um genauere Bestimmung der in Nr. 57 genannten Korrektur zu op. 125.]

Quelle: Original nicht bekannt; Brief erschlossen aus Registraturvermerk auf Nr. 57 und aus Nr. 60.

59. Beethoven an B. Schott's Söhne

Gneixendorf am 13 8br [= Oktober] 1826.

Herrn *B. Schott's* Söhnen in *Maynz*.

Ich benutze den Rest des Sommers, um mich hier auf dem Lande zu erhohlen, da es mir diesen Sommer unmöglich war, Wien zu verlaßen. – Ich habe während dieser Zeit die *Symphonie* ganz metronomisirt, u. füge hier die *Tempi* bey.

Allo ma non troppo.	88 =	♪
Molto vivace.	116 =	♪
Presto.	116 =	♪
Adagio, tempo 1mo.	60 =	♪
Andante moderato.	63 =	♪
Finale. Presto.	66 =	♪·[1]
Allo ma non trop.	88 =	♪
Allegro aßai.	80 =	♪
Alla Marcia.	84 =	♪·
And[an]te maestoso.	72 =	♪
Adagio divoto.	60 =	♪
Allo energico.	84 =	♪·
Allo ma non tanto.	120 =	♪
Prestissimo.	132 =	♪
Maestoso.	60 =	♪

Sie können selbe auch besonders stechen laßen. Vergeßen Sie nicht, was ich Ihnen über das zweyte Stück angezeigt habe[2].

Auch die Meße werde ich Ihnen nächstens *metronomisirt* senden.

65

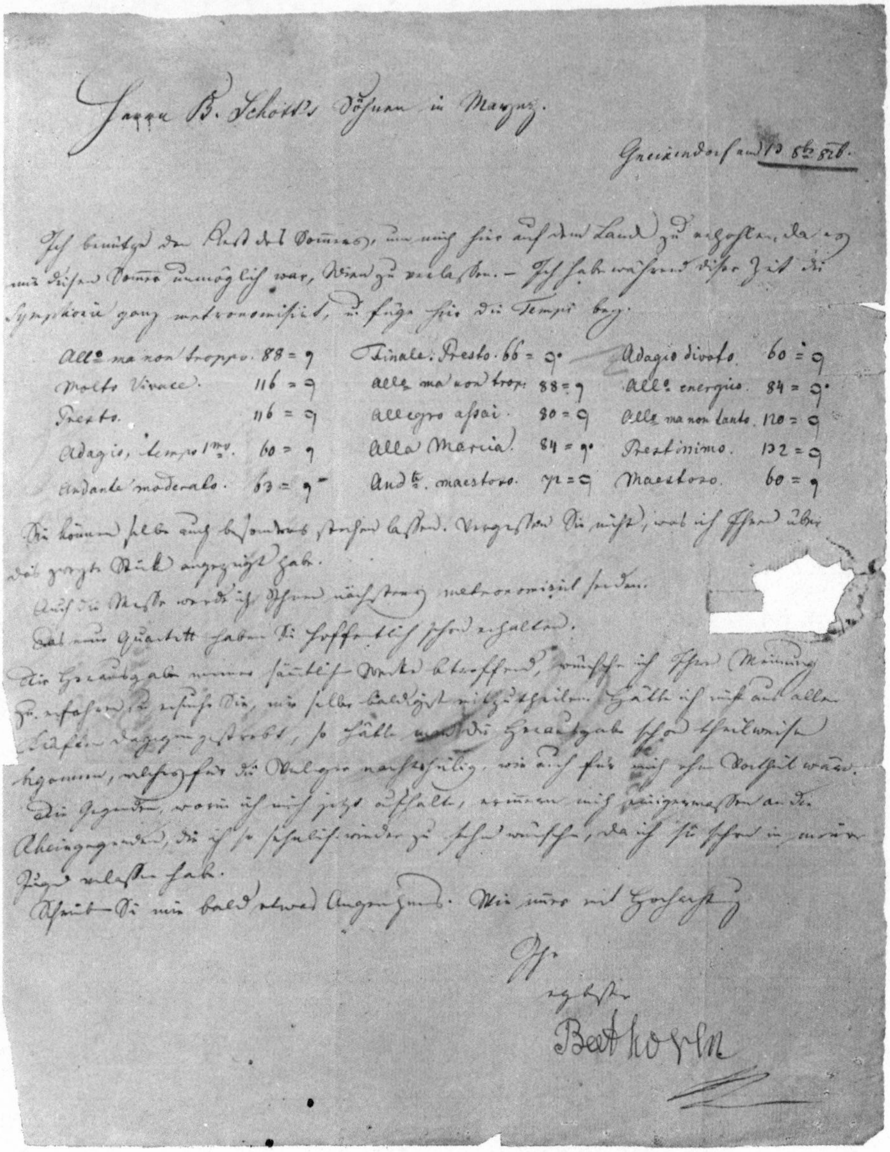

Allegro ma non troppo	88 = ♩	Finale: Presto	66 = ♩	Adagio divoto	60 = ♩
Molto vivace	116 = ♩	alleg ma non trop.	88 = ♩	Alleg energico	84 = ♩
Presto	116 = ♩	allegro assai	80 = ♩	Alleg ma non lento	120 = ♩
Adagio tempo 1mo	60 = ♩	Alla Marcia	84 = ♩	Prestissimo	132 = ♩
Andante moderato	63 = ♩	Andte maestoso	72 = ♩	Maestoso	60 = ♩

Abb. 5: Brief Nr. 59, erste Seite
(Handschrift des Neffen Karl van Beethoven)

Das neue Quartett haben Sie hoffentlich schon erhalten[3].

Die Herausgabe meiner sämmtlichen Werke betreffend, wünsche ich Ihre Meinung zu erfahren, u. ersuche Sie, mir selbe baldigst mitzutheilen. Hätte ich nicht aus allen Kräften dagegen gestrebt, so hätte man die Herausgabe schon theilweise begonnen, welches für die Verleger nachtheilig, wie auch für mich ohne Vortheil wäre.

Die Gegenden, worin ich mich jetzt aufhalte, erinnern mich einigermaßen an die *Rhein*gegenden, die ich so sehnlich wieder zu sehn wünsche, da ich sie schon in meiner Jugend verlaßen habe.

Schreiben Sie mir bald etwas Angenehmes. Wie immer mit Hochachtung

Ihr ergebenster *Beethoven*

An Herrn Herrn *B. Schott's* Söhne in *Maynz*.
Aufgeber: *L. v. Beethoven AlserVorstadt, Schwarzspanninger Haus.*[4]

Quelle: Original von der Hand des Neffen Karl, Unterschrift von Beethoven, 1 Blatt, 1 beschriebene Seite; Mainz, Stadtbibliothek (Hs III 71, Nr. 23).

[1] In einem Brief an Ignaz Moscheles vom 18.3.1827 (And 1566) und in der Cäcilia 6 (1827), S. 158 ist für das „Finale. Presto" $\mathcal{P}^{\cdot}$ = 96 statt 66 angegeben. Vermutlich handelt es sich bei der Cäcilia-Angabe um einen Druckfehler, der in den Brief an Moscheles übernommen wurde (s. O. Baensch, *Zur neunten Sinfonie*, S. 142ff. und P. Stadlen, *Beethoven und das Metronom*, S. 24).
[2] s. Nr. 56 und Postskriptum von Nr. 57.
[3] op. 131 wurde am 14. August bei Franck abgegeben (s. Nr. 54 und Nr. 55).
[4] Die Absenderangabe stammt von fremder Hand. Darunter Registraturvermerk: „*Beethoven Gneixendorf* 13. *Oct* 1826/28 *Nov* 26".

60. B. Schott's Söhne an Beethoven

Mainz den 28ten *Nov.* 1826

Herrn *L v. Beethoven* in *Wien*
Sehr werthgeschätzter Kapellmeister!

Dero sehr werthe Zuschrift vom 13ten *oct* sollten wir schon früher beantwortet haben, nach Pflicht und Schuldigkeit, allein Sie werden uns für diesesmal entschuldigen, dieses Spathjahr gab es viel Arbeit, und da Sie auch von *Wien* entfernt waren, so beeilten wir die Arbeit nicht so sehr.

Wir hoffen daß Ihnen die Landluft in der schönen Gegend recht wohl bekommen ist, was wir von Herzen wünschen, und versichern Sie zugleich, daß unsere

Rheingegend Ihnen gewiß auch recht zusagen sollte, wenn Sie diesen Bewohner[n] einmal das Vergnügen machen wollten, einige Zeit unter denselben zu leben.

Das gesandte neue *Quartet*[1] haben wir erhalten und wird in kurzem in Arbeit genommen.

Die Messe ist endlich im Druk, und wir werden noch in diesem Jahre *Exempl* hinaus versenden[2]; Indem wir aber auch wieder ein solch schönes *Titelblatt* wie an der *Sinfonie*[3] fertigen lassen wollen, und dazu das Wappen des Erzherzog *Rudolf* K.H. benöthigt sind, so haben Sie die Güte, und lassen Sie uns solchen doch sogleich dafür zeichnen, und senden Sie dieses mit erster Briefpost an uns hierher.

Daß wir sehr darauf pressiren, und Ihnen selbst daran gelegen seyn wird, daß der Titel recht schön ausgeführt wird, ‹sind wir› errinnern wir nur neben bey, und hoffen um desto schneller das gewünschte zu erhalten.

Auf unsere genauere Anfrage wegen der *Corectur*[4] welche Sie uns für die *Sinfonie* gemacht haben, (doch nicht deutlich genug) erwarten wir auch noch ihre Antwort[5].

Die *Metromisirung* für die *Sinfonie* ist uns richtig zugekommen, und soll auch möglichst schnell bekannt gemacht werden[6].

Wenn Sie uns nun auch recht bald die *Metromisirung* des *Quartet*[7] und der Messe besonder bald, übermachen wollten, so werden Sie uns sehr verbinden.

Was den Verlag sämmtlicher Werke anlangt so können wir jezt noch keinen Entschluß fassen, indem, wir noch für andere Verbindlichkeiten eine freye Zeit nöthig haben.

Ihrer gefälligen Antwort sehen wir bald entgegen, und grüßen Sie mit aller Achtung und Freundschaft

B. Schott's Söhne

P.S.
So eben kommt uns das *Pariser, Journal general d'annonces No 94*[8] – vom 25ten *November* zu. darinn heißt es in einem Artikel:

> *Vienne: Il vient de paraitre içi un nouveau quatuor*
> *de Beethoven, intitulé, Grand quatuor pour*
> *deux Violons, alto et Violoncelle, composé et dédié*
> *a S.A. Mgr le prince de Galitzin par Beethoven,*
> <u>*Oeuvre 127.*</u>[9]

Haben Sie die Güte uns zugleich darüber einigen Aufschluß zu geben, ob ein dortiger Musikverleger dieses *opus* 127. nemmlich unser eigenthümliches *Quatuor* nachgestochen hat, und welcher der Herrn dieses unternommen hat, damit wir unsere Masregeln darnach nehmen können, ist es ein neueres von Ihnen gekauftes *Quartet,* so geben Sie uns gefälligst die *Themas* davon an, und den Verleger, damit wir dasselbe durch die *Caecilia* gehörig bekannt machen können Wir grüßen Sie wiederholt

B. Schott's Söhne

Sr. Wohlgebohrn Herrn *Ludw. van Beethoven Alser-Vorstadt, Schwarz Spaningen Haus* in *Wien.*

Quelle: Original von der Hand J.J. Schotts, 2 Blätter, 3 beschriebene Seiten; Berlin, Deutsche Staatsbibliothek (aut. 35,72f).

[1] op. 131.
[2] Die Fertigstellung des Drucks von op. 123 verzögerte sich jedoch wegen Korrekturarbeiten bis Ende März 1827, vgl. Cäcilia 6 (1827), S. 312.
[3] op. 125.
[4] s. Nr. 58.
[5] s. Nr. 64.
[6] s. Cäcilia 6 (1827), S. 158.
[7] Beethoven hatte für op. 127 die Angabe von Metronomzahlen versprochen (vgl. Nr. 42), hier könnte allerdings auch op. 131 gemeint sein.
[8] Journal général d'annonces des oeuvres de musique, gravures, lithographies, publiés en France et à l'étranger, Paris, 1.1825–3.1827, Reprint: Genf (Minkoff) 1976/77, Bd. 2, S. 1247.
[9] Offenbar hat der Verlag die Anzeige mißverstanden. Durch ihre Position unmittelbar nach einem Bericht über Wien konnte sie leicht den Eindruck erwecken, der angezeigte Druck sei in Wien erschienen. Eine Wiener Ausgabe ist jedoch nicht nachweisbar. Die Anzeige ist vielmehr wohl auf die Pariser Parallelausgabe von Schott selbst zu beziehen.

61. Beethoven an B. Schott's Söhne

Wien am 9ten Xbr [= Dezember] 1826

Herrn *B. Schott's* Söhne

Ihr letztes Schreiben vom 28ten 9br [= November] hat mir sehr viel Vergnügen gemacht. Leider hat mich ein Zufall auf meiner Rückreise vom Lande unpäßlich gemacht, und zwingt mich, das Bett zu hüten. – Das Quartett[1] habe ich ausschreiben laßen[2], und kann hieraus, jedoch nicht mit völliger Gewißheit, schließen, daß sich auch in Ihrer Partitur noch einige Fehler befinden; ich habe selbe aber sorgfältig durchgegangen; mit seiner eignen Partitur verfährt man aber selten so aufmerksam. Um hierüber ganz sicher zu gehn, werde ich Ihnen das Nöthigste, was mir aufstößt, anzeigen. – Das Wappen des E.[rzherzogs] *Rudolph,* so wie auch die *Metronomisirung,* sollen Sie so schnell als möglich erhalten. Was wegen der *Symphonie*[3] zu besorgen ist, werden Sie mit nächster Post bekommen[4].

Ihre Nachschrift, den Nachdruck des Quartetts betreffend[5], hat mich in um so [grö]ßeres* Staunen versetzt, da Sie selbst einen Verlag in Paris haben; [ich]* [a]ber* habe nicht den mindesten Theil daran. Wenn ich eine Vermuthung [dar]über* äußern soll, so muß ich gestehn, daß ich *Schlesinger'n* die Schuld beymeßen möchte. Sie erinnern sich, daß er das Quartett schon ein Mahl schriftlich verlangte[6]; Sie selbst glaubten mich damahls unedel genug, ihm ein solches Werk zu geben[7]. Der alte *Schlesinger* aus *Berlin*[8] war diesen Sommer hier, u. wollte auch von dem hiesigen Verleger *Mathias Artaria* ein *Quartett* von meiner *Composition* haben[9], welches ihm jedoch abgeschlagen wurde. Wenn ich, die Herausgabe meiner Werke betreffend, eine dringende Ermahnung an Sie zugehen ließ, so war es gerade wegen *Schlesinger;* denn er hat mir eine *Sammlung* von meinen frühesten, bis auf die letzten *Quar*tetten überschickt, um sie neuerdings herauszugeben; ich habe ihm das völlig abgeschlagen, weil meine Ehre nicht gestattet, solch ein Unternehmen zu begünstigen, noch weniger aber, ihm gar meinen Nahmen voranzusetzen[10]. Ich rathe Ihnen übrigens, hiervon nichts drucken zu lassen, denn es ist schwer, in derley Fällen vollständige Beweise zu finden. – Leben Sie recht wohl. Besuche ich den *Rhein,* so besuche ich auch Sie. Ich hoffe, meine Gesundheit wird sich bald bessern.

Ihr ergebner

An Die Herrn *B. Schott's* Söhne in *Maynz*[11].

Quelle: Original von der Hand des Neffen Karl, ohne Unterschrift, 1 Blatt, 1 beschriebene Seite; Mainz, Stadtbibliothek (Hs III 71, Nr. 25).
Die mit * gekennzeichneten Wörter sind durch Siegelriß beschädigt.

[1] op. 131.
[2] E. Platen, *Eine Frühfassung*, S. 292/93, vermutet, gestützt auf Eintragungen in den Konversationsheften 116 und 118, daß Beethoven durch das Schuppanzigh-Quartett eine Stimmenabschrift von op. 131 herstellen ließ.
[3] op. 125.
[4] s. Nr. 64.
[5] op. 127, s. Nr. 60.
[6] Ein Brief dieses Inhalts von Moritz Schlesinger ist nicht bekannt, auch liegt eine entsprechende Nachricht Beethovens an den Verlag Schott nicht vor, s. aber Nr. 44, Anm. 8.
[7] s. Nr. 44, Anm. 8. Beethoven bezieht die Anzeige fälschlicherweise auf Schlesinger, vgl. Nr. 60, Anm. 9.
[8] Adolf Martin Schlesinger, s. Nr. 23, Anm. 6.
[9] op. 130, das Artaria seit Januar 1826 besaß.
[10] Es ist nicht bekannt, aus welchen Gründen Beethoven den Plan Moritz Schlesingers abgelehnt hat. Schlesinger galt als skrupelloser Nachstecher, der sich um die Rechte anderer Verleger nicht kümmerte, vgl. Nr. 71. Beethoven fühlte sich dadurch verschiedentlich selbst geschädigt und geriet in den kränkenden Verdacht, seine Werke zweimal verkauft zu haben. Durch den Verkauf von op. 135 hat er die Unternehmung gleichwohl unterstützt. Es ist nicht bekannt, wann Schlesinger ihm die besagte Sammlung von Quartetten übersandt hat und wo diese verblieben ist.
[11] Unter der Adresse Registraturvermerk: „*Beethoven* in *Wien* den 9t Dec 1826/18 [Dec 1826]“.

62. B. Schott's Söhne an Beethoven

Mainz den 18ten *December* 1826

HochGeehrtester Freund und Gönner!

Wir haben dero geehrte Zuschrift vom *9ten Dec.* erhalten, und daraus mit Vergnügen vernommen, daß Sie das Wappen recht bald besorgen wollen. Allein wir müssen darauf zurük kommen, indem wir an diesem Werk bereits druken lassen[1], und solches bald wird ausgegeben werden können, daß Sie die Zusendung des Wappens sehr beschleunigen müssen, finden wir nun höchst nöthig, und daher bitten wir Sie wiederholt, uns die Zeichnung oder einen Abdruk eines Sigels mit dem vollständigen Wappen bald möglichst hierher zu übermachen.

In Betreff unserer Anfrage wegen dem nachgestochenen *Quartet op* [1]27, wovon eine Pariser Zeitschrift eine Ankündigung, (von *Wien* aus *datirt*) macht, nemmlich daß dies neue *Quartet op* 127. von Ihnen *compon*irt, in <u>Wien</u> neu verlegt worden wäre; wesswegen wir anfragten, ob auch in <u>Wien</u>* das *Quartet op* 127. welches wir in Eigenthum von Ihnen verlegt haben, auch wirklich in <u>Wien</u>* nachgestochen wurde und von wem?

In *Paris* darf es von niemand also auch nicht von *Schlesinger* nachgestochen werden, ‹also› auch nicht von *Schlesinger* in *Berlin* gemäs *Privilegium*.

Wir ersuchen Sie recht freundschaftlich genaue Erkundigung einzuziehen, und uns darüber eine getreue Auskunft zu ertheilen.

Indem wir Sie auf das freundschaftlichste grüßen, wollen wir auch nicht versäumen bey dem herannahenden neuen Jahr um die Fortdauer Ihrer schätzbaren Freundschaft zu bitten, und wünschen Ihnen nicht allein langes Leben sondern auch Gesundheit, Zufriedenheit, und alles andere was Ihnen das Leben vergnügt und angenehm machen kann.

Ihre Ergebenste *B. Schott's Söhne*

P.S. Haben Sie die Güte uns doch das *opus* und die *Dedication* für das neueste *Quartet*[2] zukommen zu lassen

Seiner Wohlgebohrn Herrn *Ludwig van Beethoven* wohnt im Schwarz SpaningerHauße *Alser* Vorstadt. in *Wien*

Quelle: Original von der Hand J.J. Schotts, 1 Blatt, 2 beschriebene Seiten; Berlin, Deutsche Staatsbibliothek (aut. 35,72g).
Die mit * gekennzeichneten Wörter sind zweifach unterstrichen.

[1] op. 123, erschienen jedoch erst im März/April 1827.
[2] op. 131.

63. Beethoven an B. Schott's Söhne

[Wien, zweite Hälfte Dezember 1826][1]

Ich beeile mich, Ihnen das Wappen Sr. Kais. Hoheit des Erzherzogs *Rudolph* zu übersenden. Sie können auch die Pränumerantenliste von den Übrigen der *Dedication* folgen lassen.

Die *Metronomisirung* folgt nächstens. Warten Sie ja darauf. In unserm Jahrhundert ist dergleichen sicher nöthig; auch habe ich Briefe von *Berlin*, daß die erste Aufführung der *Symphonie* mit enthusiastischem Beyfalle vor sich gegangen ist[2], welches ich großentheils der *Metronomisirung* zuschreibe. Wir können beynahe keine *Tempi ordinarij* mehr haben, indem man sich nach den Ideen des freyeren *Genius* richten muß[3].

Eine große Gefälligkeit würden Sie mir erzeigen, wenn Sie die Güte hätten, an einen meiner werthesten Freunde, den +königl. Preussischen+ Regierungsrath *Franz von Wegeler*[4] in Koblenz folgendes zu senden: das Opferlied, das Bundeslied, das Lied: Bey *Chloen* war ich ganz allein, u. die Bagatellen für *Clavier*[5]. Die drey Erstern wollen Sie ihm gefälligst in *Partitur* senden. Den Betrag werde ich mit Freuden vergüten[6].

Die Dedikation des *Quartetts*[7] werden Sie in einigen Tagen ebenfalls erhalten. Ich liege nun schon ein Paar Wochen, hoffe aber, daß *Gott* mir wieder aufhelfen wird. Mich Ihrem Andenken empfehlend, bin ich Ihr ergebenster

Ludwig *van Beethoven*[8]

Quelle: Original von der Hand des Neffen Karl, Unterschrift von Beethoven, 1 Blatt, 2 beschriebene Seiten; Mainz, Stadtbibliothek (Hs III 71, Nr. 26).

[1] Die Datierung ergibt sich aus dem Registraturvermerk (s. Anm. 7) sowie aus Beethovens Formulierung, er „liege nun schon ein Paar Wochen". Er kehrte bekanntlich am 2. Dezember krank von Gneixendorf zurück.

[2] Die erste öffentliche Aufführung von op. 125 in Berlin fand am 27. November 1826 statt (vgl. Allgemeine Musikalische Zeitung (Berlin) Nr. 49 vom 6.12.1826, S. 398f. und Kalischer, *Beethoven und Berlin*, S. 323).

[3] Der gesamte Abschnitt ist am linken Rand mit einem roten Tintenstrich markiert. Daneben von J.J. Schott mit roter Tinte: „gut gegeben".

[4] Franz Gerhard Wegeler (1765–1848), nach Studien in Bonn und Wien Professor und zeitweilig Rektor an der Bonner Universität, seit 1807 als praktischer Arzt in Koblenz, war mit Eleonore von Breuning verheiratet und gehörte wie diese zu den ältesten Freunden Beethovens. Wegeler gab 1838 (Anhang 1845) die zusammen mit Ferdinand Ries verfaßten „Biographischen Notizen über Ludwig van Beethoven" heraus.

[5] op. 121b, op. 122, op. 128 und op. 126.

[6] Rechts unten auf dieser Seite mit roter Tinte (J.J. Schott): „Brief retour". Darunter mit Bleistift (G. Weber): „Gelesen".

[7] op. 131. Zur Dedikation s. Nr. 66 und Nr. 69.

[8] Registraturvermerk links seitlich auf dieser Briefseite: *Beethoven Wien Dec 1826/31 Jan 1827"*.

64. Beethoven an B. Schott's Söhne

[Wien, 27. Januar 1827]

D mol Synfonie[1]
Seite 65 beym dritten Takte (einer *Ferma»*) *muß es heißen:*

Dopo il Maggiore: Presto 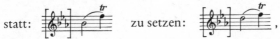 *si*

‹si› ricommincia dal segno ⸙ il Minore $\frac{3}{4}$,
e continuando si fa la seconda par-
te solamente una volta fin' questa
fermata; poi si prende subito la Coda.

Seite 73, nach dem 8ten Takte, ist hinzuzusetzen:

Da capo dal segno ⸙ .

In[2] dem *Quartett in Es* kommt im 3ten Stück, nach dem *Presto* $\frac{3}{4}$ Takt, ein *à
tempo* $\frac{3}{4}$; – in diesem ist im 17ten Takte der 2ten *Violin*,

ferner im selben *Quartett in Es* (deutsche Ausgabe[3]) muß es im 2ten Stück, in
dem *Adagio molto espressivo* 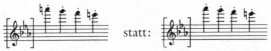, im 13ten Takte der ‹2›1ten *Violin*, ‹heißen,›

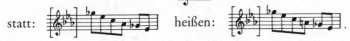

Im selben *Quartett in Es* (Pariser Ausgabe) ist derselbe Fehler. – Fehler in
derselben 1ten *Violin*Stimme, im *Finale*, Seite 11 im 33 Takt, muß es heißen:

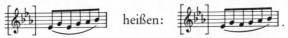

Im *Quartett in Es* (Pariser Ausg.) ferner muß es in der 2ten *Violin*stimme,
ersten Satz, 2te Seite , in dem *Allegro* , im 43 Takt,

In demselben Satze und Stimme, Seite 3 Zeile 8 im 5 Takte muß es statt:

In derselben Stimme, im 2ten Satze, $\frac{12}{8}$ Takt, *Tempo Imo,* im 15ten Takt, muß
es anstatt:

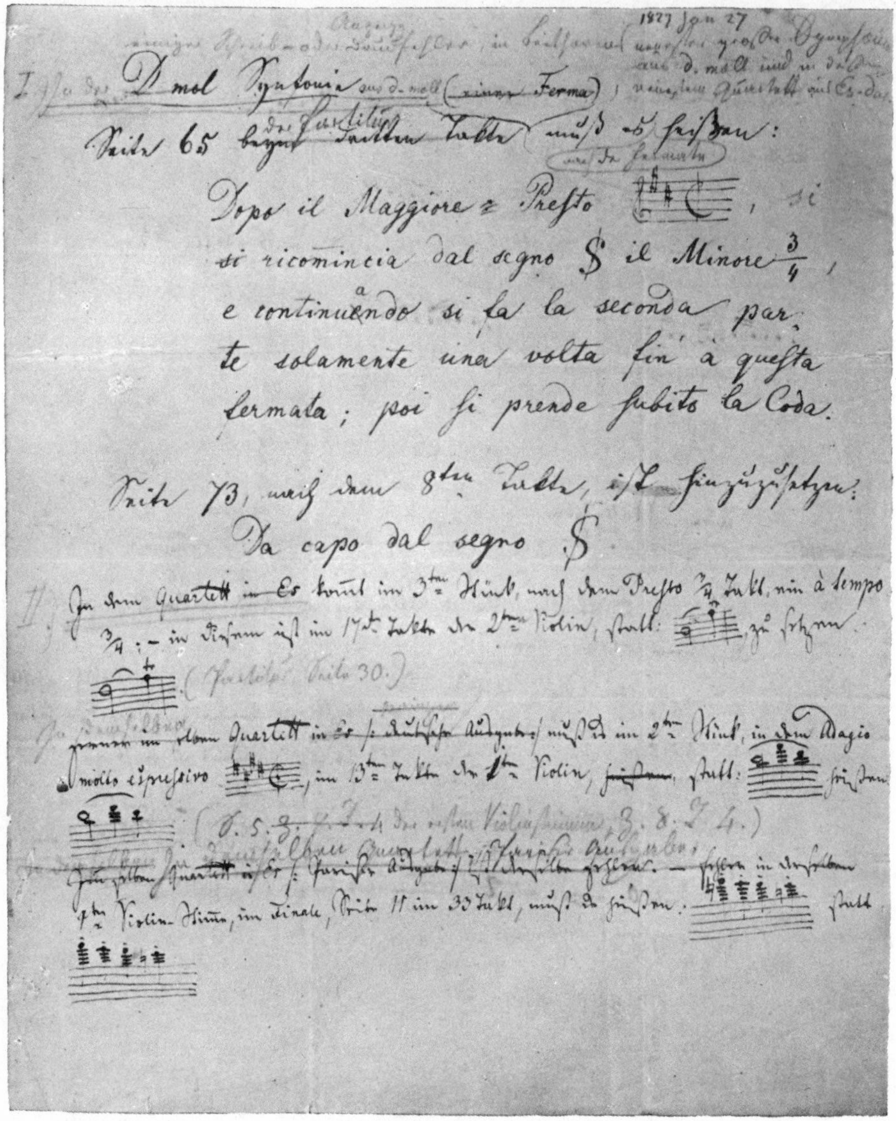

Abb. 6: Brief Nr. 64, erste Seite
(Korrekturverzeichnis: Handschrift von Karl Holz und Anton Schindler,
redaktionelle Überarbeitung von Gottfried Weber)

Brief Nr. 64, zweite Seite
(Brieftext: Handschrift von Anton Schindler)

Dieser nähmliche hier zulezt angezeigte Fehler ist auch in der Mainzer Ausgabe[4].

Euer Wohlgeborn!

Schon seit 2 Monathen bin ich bettlägerig, und leide an der Wassersucht – daher mein Stillschweigen.

Hier erhalten Sie nun das, was in der *Synfonie*[5] noch wesentlich gefehlt ist. Ich kann nicht begreifen, daß man sich nicht strenge an meine *Partitur* gehalten hat. Ich bitte Sie daher, dieses überall bekannt zu machen.

Die übrigen Fehler hat man noch in dem *Quartett* in *Es*, sowohl in der Pariser als Mainzer Ausgabe, gefunden. In der *Partitur* des *Es Quartetts* ist Seite 30, ‹Seite› Zeile ‹4›2 der ‹letzte› 5te Takt in der 2ten *Violin* gefehlt, wie oben schon angezeigt worden.

Wenn Sie gehört haben, daß dieses *Quartett* hier herausgekommen wäre, so erkläre ich dieß für bloßes Gewäsch[6].

Uibrigens verharre ich mit aller Hochachtung *Euer Wohlgeborn* ergebenster
Luwig *van Beethoven*

Wien den 27. Jänner 1827.

P.S. Es wird mir sehr lieb seyn, wenn Sie mir bald wieder zu meiner Erholung die *Caecilia* schicken.

Wien. Sr *Wohlgeborn* Herrn *W. Schott* berühmten Musikverleger in *Mainz*[7]

Quelle: Original von der Hand von Karl Holz und Anton Schindler, Unterschrift von Beethoven, 1 Doppelblatt, 3 beschriebene Seiten; Mainz, Stadtbibliothek (Hs III 71, Nr. 27).

[1] Dem eigentlichen Brief ist ein Verzeichnis der in den Erstausgaben von op. 125 und op. 127 enthaltenen Fehler vorangestellt. G. Weber (entgegen And 1548, Anm. 2 nicht Schindler) hat es zur Veröffentlichung im Intelligenzblatt zur Cäcilia 6 (1827), nach S. 26, mit Bleistift redaktionell überarbeitet. In dieser Fassung wurde das Verzeichnis bisher in allen Briefausgaben wiedergegeben. Lediglich Max Unger veröffentlichte 1927 die Originalversion (*Zu Beethovens Briefwechsel mit B. Schotts Söhnen Mainz*, S. 51–61).
[2] Der Text von hier ab von der Hand Schindlers.
[3] Beethoven unterscheidet zwischen der „deutschen", auch „Mainzer", und der „Pariser" Ausgabe von op. 127. Letztere ist der in Paris hergestellte Druck der Filialhandlung.
[4] G. Weber mit Bleistift: „Wenn Sie wollen, will ich die *Correctur* besorgen". Die Korrekturen wurden mit Rötel in die Stichvorlage übertragen und von Weber separat in einer Anzeige in der Cäcilia bekannt gemacht.
[5] op. 125.
[6] s. Nr. 60, Nr. 61 und Nr. 62.
[7] Unter der Adresse Registraturvermerk: „*L.v. Beethoven Wien 27 Jan. 1827.*"

65. B. Schott's Söhne an Beethoven

[Mainz, 31. Januar 1827]

[Der Verlag teilt Beethoven mit, er habe die erbetenen Musikalien an Wegeler geschickt. Vermutlich fragte er auch nach Dedikation und Opuszahl von op. 131.]

Quelle: Original nicht bekannt; Brief erschlossen aus Registraturvermerk auf Nr. 63 und Brief Beethovens an Wegeler vom 17. Februar 1827 (KK 1453).

66. Beethoven an B. Schott's Söhne

Wien den 22. Febr. 1827

Euer Wohlgeborn!

Ihren letzten Brief habe ich durch den Kapellmeister Kreutzer[1] erhalten. Ich beantworte Ihnen jetzt nur das Nöthige. Zwischen dem *Opus* (*Quart.* in *Cis moll*) was Sie haben, geht das vorher, was Math. *Artaria* hat. Hiernach können Sie leicht das Nummer bestimmen[2]. Die *Dedication* ist: <u>gewidmet meinem Freunde Johann Nepomuck Wolfmayer</u>[3].

Nun komm ich aber mit einer sehr bedeutenden Bitte. – Mein Artzt[4] verordnet mir sehr guten, alten Rheinwein zu trinken. So etwas hier unverfälscht zu erhalten, ist um das theuerste Geld nicht möglich. Wenn ich also eine kleine Anzahl *Bouteillen* erhielt, so würde ich Ihnen meine Dankbarkeit für die *Caecilia* bezeugen. Auf der Mauth würde man, glaube ich, etwas für mich thun, so daß mich der *Transport* nicht so hoch käme. – Sobald es meine Kräfte nur erlauben, werden Sie auch die *Meße metronomisirt* erhalten, denn ich bin gerade in der Periode, wo die 4te *Operation* erfolgen wird[5]. – Je geschwinder ich also diesen Rheinwein +oder Moselwein+ erhalte, desto wohlthätiger kann er mir in diesem jetzigen Zustande dienen; – und ich bitte Sie recht herzlich, um diese Gefälligkeit, wofür Sie mich Ihnen dankbar verpflichten werden.

Mit größter Hochachtung geharre ich Euer Wohlgeborn ergebenster

Beethoven

<u>Wien</u>. An Die Gebrüder *B. Schott* berühmte Musikverleger in *Mainz*
L. v. Beethoven Alstervorstadt No 200[6].

Quelle: Original von Schindlers Hand, Unterschrift von Beethoven, 1 Doppelblatt, 1 beschriebene Seite; Mainz, Stadtbibliothek (Hs III 71, Nr. 28).

¹ Kapellmeister Konradin Kreutzer (1780–1849) kam, nach Anstellungen in Stuttgart und Donaueschingen, 1822 erneut nach Wien, wo er bis 1827 als Kapellmeister am Kärntnertortheater wirkte.

² Mathias Artaria besaß das Eigentumsrecht an op. 130. Da das Werk jedoch noch nicht erschienen war, konnte die Opuszahl nicht als bekannt vorausgesetzt werden. Schott vermutete hierfür die Opuszahl 128 (die Ariette „Der Kuß" war als op. 121 erschienen) und zeigte das cis-moll-Quartett zunächst als op. 129 an (s. Intelligenzblatt zur Cäcilia 6, Nr. 24, S. 27; in 7, Nr. 25, S. 30 und 7, Nr. 26, S. 45.

³ Johann Nepomuk Wolfmayer (1768–1841), Tuchhändler in Wien, seit 1825 Mitglied der Wiener Gesellschaft der Musikfreunde. Das Quartett wurde schließlich jedoch dem Freiherrn von Stutterheim gewidmet, in dessen Regiment in Iglau der Neffe Anfang Januar 1827 aufgenommen worden war (vgl. Nr. 69, Anm. 3). Wolfmayer erhielt stattdessen die Widmung von op. 135.

⁴ Beethoven wurde in dieser Zeit von zwei Ärzten behandelt, Dr. Johann Malfatti (1775–1859) und Dr. Andreas Ignaz Wawruch (1782–1842). Wahrscheinlich ist hier Malfatti gemeint (s. Beethovens Brief an den Freiherrn von Pasqualati, KK 1465 und Konversationsheft 134).

⁵ Die vierte Operation (Aszitespunktion) fand am 27. Februar statt (s. Nr. 67).

⁶ Registraturvermerk unterhalb der Adresse: „L. v. Beethoven Wien den 22. Feb. 1827./8 Mertz 1827." Das letzte Datum wurde von J.J. Schott eingetragen.

67. Beethoven an B. Schott's Söhne

Wien den 1. März 1827.

Euer Wohlgeborn!

Ich bin im Begriff Ihnen neuerdings beschwerlich werden zu müßen, indem ich ein Paket Ihnen für den königl. Regierungsrath *Wegler* in Koblentz überschicken werde, welches Sie dann die Gefälligkeit haben werden, selbes von Mainz aus [nach] *Coblentz* zu übermachen¹. Sie wissen ohnehin, daß ich viel zu wenig eigennützig bin, daß ich dieß alles umsonst verlangte.

Weßhalb ich Sie schon gebethen habe, wiederhole ich hier noch einmahl, nämlich meine Bitte wegen <u>alten weißen Rhein- oder Moselwein</u>. Es hält unendlich schwer, hier dergleichen ächt und unverfälscht selbst für das theuerste Geld zu erhalten. Vor einigen Tägen, den 27. Febr. hatte ich meine 4te *Operation*, und doch kann ich noch nicht einer gänzlichen Besserung und Heilung entgegen sehn. Bedauern Sie Ihren, Ihnen mit Hochachtung ergebensten Freund

Beethoven
*m.p.*²

Quelle: Original von der Hand Schindlers, Unterschrift von Beethoven, 1 Blatt, 1 beschriebene Seite; Mainz, Stadtbibliothek (Hs III 71, Nr. 29).

¹ Das für Wegeler bestimmte Paket sollte ein Porträt mit einer Widmung Beethovens enthalten (vgl. KK 1436 und KK 1453), und zwar die bei Mathias Artaria erschienene Lithographie von

F. Dürck nach dem Gemälde von J. Stieler. In Konversationsheft 123 befindet sich der Entwurf zu der Widmung, der etwa auf den 7. Dezember 1826 zu datieren ist.
[2] Der Brief trägt keine Adresse. Auf der Rückseite Registraturvermerk: „*L.v. Beethoven Wien* 1t *Märtz* 1827."

68. B. Schott's Söhne an Beethoven

Mainz den 8ten *Mertz* 1827

Herr *Ludwig van Beethoven* in *Wien*

Dero sehr geehrte Zuschrift vom *22 Febr* haben wir mit sehr grosem Bedauern durchlesen, indem Sie uns damit noch nicht ihre WiederHerstellung kund thun konnten.

Um ihren geäuserten Wunsch so schnell als möglich nachzukommen, so haben wir von einem unserer sehr guten Freunde einen kostbaren Rüdesheimer Berg Wein von 1806[1], und von demselben selbst gezogen und ganz rein erhalten, für Ihnen gewählt, und bereits in einem Kistchen *Sigl V.B.W.*[2] über *Francfurt* durch Herrn *Emanuel Müller* 12 *Bouteillen per* Fuhrgelegenheit an Ihnen abgesandt, wovon wir den besten Empfang wünschen.

Damit Ihnen jedoch noch früher eine kleine Labung gereicht werden kann, so sandten wir heute *per* Postwagen ein kleines Kistchen, so wie ein kleines Päckchen mit Ihrer *Adreße* ab.

Das Kistchen enthält 4 *bouteillen*, 2 davon mit reinem Wein von dem oben beschriebenen. 2 andere *Bouteillen* von demselben Wein sind mit Kräuter angesezt, welche nach Vorschrift genommen für ihre Krankheit als Arzney dienen sollen; nachstehend ersehen Sie die Verhaltungsregeln dafür, und dafür auch das Päckchen mit Wurzeln.

Wir haben diesen Wein an einen Freund gesandt gehabt, welcher 10 Stund von hier wohnt, und welcher mit seinem Kräuter Wein schon viele von der Wassersucht kurirt hat.

Es ist unser sehnlichster Wunsch daß es auch Ihnen *Radical* kuriren mögten, und daß der Kräutersucher seinen Lohn für seine Mühe durch ein Andenken von Ihnen empfangen wird.

Lassen Sie uns doch recht bald von dem Erfolg benachrichtigen.

Von ihrer Messe sind nun die lezten Bögen in Druk gegeben, und solche sind bald fertig zum Versand

Auch das *Quartet* in *Cis mol* ist hier bereits fertig und wird es nun auch bald in *paris* seyn[3].

Über dieses Quartet haben Sie die Güte mit Bennenung der Tonart und des *Opus* einen Schein auszustellen und sogleich zuzusenden, worinn Sie uns das alleinige Eigenthum, so wie auch das alleinige Verlags Recht übertragen, um es sowohl in *Paris* als auch *Mainz* und auch an allen Orten wo wir es für gutfinden würden im Stich als unser Eigenthum herauszugeben[4], und lassen Sie ihre Unterschrift gefälligst *Legali*siren[5].

Wegen *Schlesinger* und den andern Pariser Verleger kann man sich nicht genug in Achtung und in Sicherheit setzen.

Wir rechnen auf diese Gefälligkeit von Ihnen.

Sobald ihre Kräften wie[der zu]genommen[6] haben, so hoffen wir auch die *Metronomi*sirung der Messe zu erhalten.

Wir leben der angenehmen Hoffnung ihrer baldigen Besserung, und werden mit Vergnügen jede Gelegenheit ergreifen um Ihnen nützlich zu seyn, und Sie von unserer Anhänglichkeit zu überzeugen.

Leben Sie wohl und gesund

B. Schott's Söhne

Seiner Wohlgebohrn Herrn *Ludwig van Beethoven* Alstervorstadt *No* 200 in *Wien*

Abb. 7: Etikett (Rüdesheimer Berg-Wein)

Mittel

Gegen die Wassersucht

Gebrauchzettel[7]

Von dem Kräuterwein wird des Morgends, Mittags und Abends, jedesmal ein Esslöffel voll genommen, sollte dieses aber zu stark angreifen und man spürte

Üben[8] zum Erbrechen, so setzt man immer einen Tag aus, und nimmt keinen Kräuterwein, den Tag darauf wieder fortgefahren, und das oben gesachte beobachtet.

Wenn das Wasser durch den Urin oder durch den Stuhlgang ganz aus dem Körper fortgegangen ist, so nimmt man des Tags nur 2 Esslöffel voll, Acht Tage darauf nur 1 Esslöffel voll.

Von der Wurzel (Männertreu) nimmt man 3/4 ℔ läst solche sauber abwaschen, und in einer Maas Wasser bis zu 3 Schoppen einkochen, davon trinkt man des Tags 3 bis 4 Tassen.

<u>Essen kann man alles.</u>

Quelle: Original von der Hand J.J. Schotts, 2 Blätter u. 1 Zettel, 4 beschriebene Seiten; Berlin, Deutsche Staatsbibliothek (aut. 35,72h).

[1] Die noch gebräuchliche Bezeichnung „Rüdesheimer Berg" umfaßt mehrere Einzellagen, die heute u.a. als Schloßberg, Roseneck, Rottland und Bischofsberg namentlich differenziert werden. Die körperreichen Riesling-Weine zeichnen sich durch rassige Säure und gute Lagerfähigkeit aus. Das Jahr 1806 brachte eine große Ernte mit „sehr gutem und delikatem" Wein (s. O. Sartorius, *Der Weinbau in Nassau,* unter Jahrgang 1806; freundlicher Hinweis von Domänenrat Josef Staab, Schloß Johannisberg).

[2] Vermutlich Abkürzung für: Van Beethoven Wien.

[3] Gemeint sind die beiden Stimmenausgaben von op. 131, die jedoch erst im Sommer 1827 erschienen sind. Die Partiturausgabe wurde sogar erst im Februar 1828 ausgeliefert.

[4] s. Eigentumserklärung Nr. 70. Eine spätere Hand notiert am linken Rand: „am ‹1›3. Juni von Schindler abgesandt. von *B.* ausgestellt und von Breuning unterschrieben". Die Angabe ist unrichtig, denn offenbar wurde die Erklärung mit dem Brief Schindlers vom 12. April 1827 (Nr. 72) abgesandt.

[5] Notariell beglaubigen.

[6] Siegelriß.

[7] Die Gebrauchsanleitung steht auf einem kleineren eingelegten Zettel.

[8] Gemeint: Übel(keit).

69. Beethoven an B. Schott's Söhne

Wien den 10. März 1827

Euer Wohlgeborn!

Nach meinem Briefe sollte das *Quartett*[1] jemanden *dedicirt* werden, dessen Nahmen ich Ihnen schon überschickte[2]. Ein Ereigniß findet statt, welches mich hat bestimmen müßen, hierin eine Änderung treffen zu müßen. Es muß dem hiesigen Feldmarschal *Lieutenant Baron v. Stutterheim,* dem ich große Verbindlichkeiten schuldig bin, gewidmet werden[3]. Sollten Sie vielleicht die erste *Dedica-*

tion schon gestochen ‹zu› haben, so bitte ich Sie um alles in der Welt, dieß abzuändern, und will Ihnen gerne die Kosten dafür ersetzen. Nehmen Sie dieß nicht als leere Versprechungen, allein es liegt mir so viel daran, daß ich gerne jede Vergütung zu leisten bereitet bin. der Titel liegt hier bey[4].

Was die Sendung an meinen Freund, den königl. preuß. Regierungsrath *v.* Wegeler in *Coblentz* betrifft, so bin ich froh, Sie hievon gänzlich entbinden zu können. Es hat sich Gelegenheit gefunden, mit welcher alles ihm übermacht wird[5].

Meine Gesundheit, welche sich noch lange nicht einfinden wird, bittet Sie um die erbethenen Weine, welche mir gewiß Erquickung, ‹und› Stärke und Gesundheit verschaffen werden.

Ich geharre mit größter Hochachtung *Euer Wohlgeborn* ergebenster

ludwig *van Beethoven*

Wien. An Die Gebrüder *B. Schott* Hof-MusikHändler in *Mainz*
L. v. Beethoven Alstervorstadt *No* 200[6]

Quelle: Original von der Hand Schindlers, Unterschrift von Beethoven, 1 Doppelblatt, 2 beschriebene Seiten; Mainz, Stadtbibliothek (Hs III 71, Nr. 30).

[1] op. 131.
[2] J.N. Wolfmayer, s. Nr. 66.
[3] Josef Freiherr von Stutterheim (1764–1831), ein Offizier mit hohen Auszeichnungen, zweiter Inhaber des Regiments „Erzherzog Ludwig", hatte dem Neffen Karl nach dessen Selbstmordversuch dort eine Stelle als „Expropriis-Kadett" in Iglau (Mähren) verschafft und ihn wohl Anfang März 1827 zum Regimentskadetten befördert (vgl. Konversationsheft BH 53, S. 54 u. 55). Der Neffe entging damit einer gerichtlichen Strafe.
[4] Dieser Satz wurde nach Beendigung des Briefes von Schindler hinzugefügt. Beethoven hatte offenbar die vollständige Titulatur des Freiherrn auf ein separates Blatt schreiben lassen. Dieses ist nicht erhalten.
[5] Das Paket, welches Beethoven Wegeler am 17. Februar (KK 1453) angekündigt hatte, war am 23. März noch nicht in Koblenz angekommen. An diesem Tag erkundigte sich Wegeler bei Schott nach dem Verbleib. Sein Brief (Mainz, Archiv des Verlags B. Schott's Söhne) lautet:
„Die *Schott*sche Musikhandlung hatte schon einmal die Güte eine auf Weisung meines Freundes *van Beethoven* einige Musikalien zu schicken, wofür ich derselben verbindlichst danke. Nun schrieb mir mein Freund, es seyn noch ein ander Paketchen für mich an diese Handlung adreßirt worden. Sollte dieses angekommen seyn, so ersuche ich besagte Handlung vielmal, mir solches durch die Gelegenheit, wodurch Ihnen diese Zeilen zukommen, (Hr. Major der Artellerie *von Becker*,) zuzusenden.
Mit Achtung verharre   Dr Wegeler
                                                                                     K. Preuß. Ghmer Mdzlrath
                                                                                     [Geheimer Medizinalrath]
Koblenz, den 23 März 1827."
Registraturvermerk: „*Doct Wegeler/Coblenz* 23 *Merz* 1827/Beantwortet 17 *Mai* [1827]."
[6] Oberhalb der Adresse Registraturvermerk: „*L. v. Beethoven* Wien 10. *Märtz* 1827/29 [Märtz 1827]".

70. Beethoven an B. Schott's Söhne
(Eigentumserklärung)

Wien, [20.] März 1827

Erklärung.

Vermöge welcher ich der Verlagshandlung *B. Schott's* Söhne in *Mainz,* über mein letztes *Quartett* in *Cis moll, Opus* [131][1] das alleinige Eigenthum, so wie auch das alleinige Verlagsrecht hiemit übertrage, mit dem Beysatze, dasselbe sowohl in *Paris* und *Mainz,* als auch an allen Orten, wo obige Verlagshandlung es für gut findet, als ihr Eigenthum im Stich herausgeben zu können. Wien den [20.] März. 1827.

Ludwig *van Beethoven*

Stephan v. Breuning[2]
K.K. Hofrath
als ersuchter Zeuge.

Ant. Schindler m.p.[3]
Musik*Director*
als ersuchter Zeuge[4].

Quelle: Original von der Hand Schindlers, Unterschriften von Beethoven, Breuning und Schindler, 1 Blatt, 1 beschriebene Seite; Mainz, Stadtbibliothek (Hs III 71, Nr. 32).
Faksimile: R. Bory, *Ludwig van Beethoven,* S. 213.

[1] Die Zahl „131" wurde im Original nachträglich mit dunklerer Tinte ergänzt. Schindler ließ die Opuszahl offen, da sie ihm nicht bekannt war (s. Kal V, S. 312). Beim Abdruck der Erklärung in den Intelligenzblättern der Cäcilia Nr. 25 (S. 32) und Nr. 26 (S. 46) ließ der Verlag die Opuszahl weg. Im Intelligenzblatt Nr. 24 war das Quartett mit op. 129 angekündigt worden, s. Nr. 66, Anm. 2. Das Datum der vorliegenden Erklärung wurde nachträglich geändert. Wahrscheinlich stand dort zunächst 26.

[2] Stephan von Breuning (1774–1827), k.k. wirkl. Hofrat und Referent im k.k. Hofkriegsrat, Beethovens Jugendfreund aus Bonn, lebte seit 1800 in Wien. Seit 1825 wohnte er in der Alservorstadt in demselben Haus (Alsergrund C.Nr. 173), in dem er 1804 schon mit Beethoven zusammengelebt hatte. Die beiden waren nun wieder Nachbarn. Nach langer Entfremdung erneuerte sich im Sommer 1825 der freundschaftliche Kontakt zwischen ihnen. Der Sohn Gerhard von Breuning berichtet in seinen „Erinnerungen aus dem Schwarzspanierhaus" von den letzten Wochen Beethovens.

[3] Anton Schindler (1798–1864) kam, entgegen seinen eigenen Angaben, erst 1822 mit Beethoven in engeren Kontakt (s. M. Unger, *Beethovens Konversationshefte als biographische Quelle*). Die Akademien im Mai 1824 führten zu einem Zerwürfnis, weshalb Schindler für mehr als zwei Jahre nicht mehr in Beethovens Umgebung erschien. Nachdem der Neffe am 2. Januar 1827 seinen Dienst in Iglau angetreten hatte, nahm Schindler seine frühere Stelle als unbezahlter Sekretär wieder ein. Er konnte seine Zurückweisung nie recht verwinden und suchte sie später durch fälschende Eintragungen in die Konversationshefte und in andere Dokumente zu verdecken (s. P. Stadlen, *Zu Schindlers Fälschungen in Beethovens Konversationsheften* und D. Beck, G. Herre, *Anton Schindlers fingierte Eintragungen in den Konversationsheften*).

[4] Die Erklärung wurde von Schindler mit Nr. 72 (s. dort Anm. 2) zusammen abgeschickt.

71. B. Schott's Söhne an Beethoven

Hochverehrter Herr *v. Beethoven*

Daß uns noch keine befriedigende Nachrichten über ihre uns so theure Gesundheit zugekommen, thut uns sehr leid, indessen sinket dadurch unsere Hoffnung nicht, daß wir baldigst von Ihrer Herstellung Nachricht erhalten werden, so wie über den richtigen Empfang des Weins.

Auf dero werthe Zuschrift vom 10*ten* dies[es] benachrichtigen wir Sie, daß wir die lezt gesandte *Dedication* von Freiherrn von *Stutternheim* für den Titel des *Quartet* benutzen werden, und sobald der Stich desselben ‹geendi[gt]› in *Paris* beendigt ist, so werden wir denselben versenden.

In unserem lezten ersuchten wir Sie um einen Vertrag des Eigenthums für das *Quartet* wobey Sie das *opus* genau bemerken müssen, und uns ausdrüklich das Verlagsrecht in Deutschland *FrancKreich* und an allen andern Orten allein Übertragen müssen, würden Sie darinn auch des ersteren *Quartet*[1] erwähnen so ist es um so lieber. *Schlesinger* in *Paris* macht Mienen in unser Verlags Recht eingreifen zu wollen[2], man kann sich vor einem solchen Nebenbuhler nicht genug vorsehen.

Ihre Besserung von Herzen wünschend grüßen Sie auf's freundschaftlichste

B. Schott's Söhne

Seiner Wohlgebohrn Herrn *Ludwig van Beethoven* Alster Vorstadt *No* 200 in Wien.

Quelle: Original von der Hand J.J. Schotts, 1 Blatt, 1 beschriebene Seite; Berlin, Deutsche Staatsbibliothek (aut. 35,72i).

[1] Der Wunsch konnte nicht erfüllt werden. An der linken Seite dieses Abschnitts notierte Schindler wohl in den 1840er Jahren: „Das verlangte Dokument ist ausgestellt u. in der Caecilia veröffentlicht worden – Hofrath v. Breuning u. Schindler haben es als Zeugen mit unterschrieben."

[2] Moritz Schlesinger bemühte sich offenbar, die Rechte von op. 127 und op. 131 zu kaufen, was ihm, wie die Korrespondenz mit der Schott-Filiale in Paris zeigt, schließlich auch gelang, s. S. Brandenburg, *Die Quellen von Beethovens Quartett op. 127*, S. 272, Anm. 49.

72. Anton Schindler an B. Schott's Söhne[1]

Wien am 12. April. 1827.

Meine Herren!

Gerne schon hätte ich mir die Freyheit genommen, Ihnen im Nahmen unsers verewigten *Beethoven*, der mich noch auf dem Sterbebette damit beauftragte, dieses beyliegende *Document*[2] zu übermachen; allein der Geschäfte gab es so viele nach dem Hinscheiden meines Freundes, daß früher an dieses gar nicht gedacht werden konnte. Leider aber war es nicht möglich, dieses *Dokument legalisiren* zu laßen; in diesem Falle hätte die Unterschrift *Beethoven's* vor Gericht geschehen müssen, und dieß war denn doch die größte Unmöglichkeit. Indessen ersuchte *Beethoven* Hrn Hofrath v. Breuning und mich, selbes als Zeugen mitzufertigen, weil wir beyde zugegen waren. Und so glauben wir, wird es auch seine erforderlichen Dienste thun. – Bemerken muß ich Ihnen aber doch, daß Sie in diesem Dokumente die letzte Unterschrift dieses unsterblichen Mannes besitzen, denn dieß war der letzte Federzug[3]. – So wie ich mich nicht enthalten kann, Ihnen auch etwas aus den letzten Stunden seines Bewußtseyns (nämlich vom 24. März von früh bis gegen 1 Uhr Nachmittags) melden, da es gerade für Sie meine Herren von nicht geringem Interesse seyn dürfte. – Nachdem ich am Morgen des 24. März zu ihm kam, fand ich sein ganzes Gesicht zerstört, und so schwach, daß er sich mit größter Anstrengung nur mit höchstens 2–3 Worten verständlich machen konnte. Gleich darauf kam der *Ordinarius*[4], der, nachdem er ihn einige Augenblicke beobachtete, zu mir sagte: er gehe mit schnellen Schritten der Auflösung nah! Da wir nun schon Tags vorher die Sache mit seinem Testamente, so gut es immer gieng, beendigt hatten[5], so blieb uns nur noch ein sehnlicher Wunsch übrig, ihn mit dem Himmel auszusehen, um auch der Welt zugleich zu zeigen, daß er als wahrer Christ sein Leben endigte. Der Prof. *Ordinarius* schrieb ihm also auf, u. bath ihn, im Nahmen aller seiner Freunde, sich also mit den heil.[igen] Sterbesakramenten versehen zu laßen, worauf er ganz ruhig u. gefaßt antwortete: ich will's. – Der Artzt ging fort, u. überließ mir, dieß zu besorgen. *Beethoven* sagte mir dann: ich bitte Sie nun noch um das, an Schott zu schreiben[6], und ihm das Dokument zu schicken. Er wird's brauchen. Und schreiben Sie ihm in meinem Nahmen, denn ich bin zu schwach. Ich laß ihn recht sehr bitten um den versprochenen Wein. – Auch nach England schreiben Sie, wenn Sie heute noch Zeit haben.

Der Pfarrer kam gegen 12 Uhr, und die Function ging mit der größten Auferbauung vorüber; – und nun erst schien erst [= er] an sein letztes Ende selbst zu glauben, denn kaum war der Geistliche draußen, als er mir und dem jungen Hrn v. Breuning sagte: *plaudites amici, comoedia finita est*[7]! Habe ichs nicht immer gesagt – daß es so kommen wird! – darauf bath er mich nochmals, nicht an Schott zu vergessen, und der philharmonischen Gesellschaft auch nochmahls in seinem Nahmen für das große Geschenk zu danken, mit dem Beysatze, daß die Gesellschaft ihm seine letzten Lebenstage erheitert habe, u. daß er noch am Rande des Grabes der Gesellschaft u der ganzen englischen *Nation* danken werde[8]! Gott wolle sie segnen! u. dgl. In diesem Augenblicke trat der Kanzleydiener vom Hrn Hofrath *v. Breuning* mit dem Kistchen Wein und dem Tranke[9], von Ihnen geschickt, ins Zimmer. Dies war gegen 3/4 auf 1 Uhr. Ich stellte ihm die 2 *Bouteillen* Rüdesheimer, und die andern 2 *Bout.[eillen]* mit dem Tranke auf den Tisch zu seinem Bette. Er sah sie an, und sagte: Schade! – Schade! – zu spät!! – dieß waren seine allerletzten Worte[10]. – Gleich darauf verfiel er in solche *Agonie*, daß er keinen Laut mehr hervorbringen konnte. Gegen Abend verlohr er das Bewußtsein und fing an zu *phantasiren*. Dieß dauerte fort bis den 25.ten Abends, wo schon sichtbare Spuren des Todes sich zeigten, und dennoch endete er erst den 26.ten um 3/4 auf 6 Uhr Abends. –

Dieser Todeskampf war furchtbar anzusehen, denn seine Natur überhaupt, vorzüglich seine Brust war riesenhaft. Von Ihrem Rüdesheimer Weine genoß er noch Löffelweise bis zu seinem Verscheiden.

So theile ich Ihnen mit Wenigem die 3 letzten Lebenstage unsers unvergeßlichen Freundes mit.

Wegen der *Dedication* des *Cis moll Quartetts* an *General Stutterheim* ersucht Hr. Hofrath v. *Breuning*, ihm 3 *Exemplare* auf hübschem Papier gefälligst durch eine der hiesigen Kunsthandlungen einzusenden, damit er es dem *General* überreichen könne. Wegen dem *Opus* in der Erklärung muß ich um Vergebung bitten, denn weder *Beethoven*, noch jemand andrer konnte mir hierüber bestimmte Auskunft geben. Nur soviel konnte man mir sagen, daß es vor dem *Quartett* komme, welches *Schlesinger* in Berlin hat. Ich schreibe deßhalb auch noch heute an Schlesinger. Das *Opus* ist wahrscheinlich 131 oder 132[11].

Ihren letzten Brief an *Beethoven* habe ich durch Hrn Streicher[12] erhalten.

Wollten Sie noch an mich oder an Hrn Hofrath v. *Breuning* schreiben, so könnte dieß entweder an ‹durch› Streicher oder an eine der hiesigen Musikhandlungen geschehen. z.B. *Diabelli & Comp*[13] Hofrath v. *Breuning* wohnt im rothen Hause in der Alservorstadt. Schlüßlich nehmen Sie die Versicherung meiner größten Hochachtung, mit der ich stets verharre, Ihr ergebenster

Ant Schindler m.p.

<u>Wien.</u> An Die Gebrüder *B. Schott* in <u>*Mainz*</u>.

Quelle: Autograph, 1 Doppelblatt, 3 beschriebene Seiten; Mainz, Stadtbibliothek (Hs III 71, Nr. 31).
Abschrift Schindlers (s. Anm. 1): Berlin, Deutsche Staatsbibliothek (aut. 38,11).

[1] Der Brief wurde unter Auslassung der letzten, op. 131 betreffenden Abschnitte und unter Hinzufügung einer Einleitung und dreier Anmerkungen in der Cäcilia 6 (1827), S. 309–312 „statt förmlichen Nekrologs" abgedruckt. Die Schlußfloskel wurde verkürzt. Ferner wurden einige geringfügige Änderungen im Text vorgenommen, die vor allem' der Verdeutlichung dienten (z.B. „noch" statt „doch", „sein" statt „der", „Beethoven" statt „er" oder „zugleich" statt „auch"). Die Eingriffe sind inhaltlich unbedeutend und werden daher nicht einzeln angemerkt. Schindler schrieb sich den „Nekrolog" bis auf zwei Anmerkungen Webers wortgetreu ab.

[2] Am Fuße der Seite merkt Weber mit Bleistift an: „Es ist eine Urkunde, durch welche Hr. Van Beethoven erklärt, daß die Hofmusikhandlung B. Schotts Söhne alleinige Verlagseigenthümer seines letzten Violinquartetts aus cis-moll sind. – d. Rd." Schindler schickte dem Verlag also erst mit diesem Brief Beethovens Erklärung Nr. 70.

[3] Diese Aussage Schindlers ist nicht wörtlich zu nehmen, s. auch Anm. 10.

[4] Professor Dr. Andreas Ignaz Wawruch (1782–1842), Primararzt an der Wiener Medizinischen Klinik. Er war seit dem 5. Dezember 1826 Beethovens behandelnder Arzt. Johann Malfatti (1775–1859) wurde im Januar 1827 hinzugezogen und schickte während seiner Erkrankung seinen Assistenten Johann Röhricht.

[5] s. KK 1474.

[6] Am oberen Rand der Seite J. J. Schott mit Rötel an Weber: „Nach Gebrauch, wünschen wir den Brief zurück zu erhalten".

[7] Häufig Abschluß altrömischer Komödien. Korrekte Lesart: „plaudite"; so auch in der Cäcilia. Die Lesung des „s" ist nicht eindeutig.

[8] Weber merkt an: „Also doch! – d. Rd." Der Sinn der Anmerkung läßt sich nicht klären.
      Die Philharmonische Gesellschaft in London hatte Beethoven zur Bestreitung seiner Krankheitskosten einen Vorschuß von 100 Pfund gewährt (vgl. Kast 1446a). Er versprach ihr hierfür noch auf dem Totenbett eine Symphonie, die angeblich in seinem Pult schon fertig skizziert lag. Aus Beethovens überschwänglicher Äußerung bildete sich später die Legende einer verschollenen 10. Symphonie.

[9] Weber merkt an: „Ein Kräutertrank, in der Gegend von Mainz als Specificum gegen Wassersucht renomirt. – d. Rd." (s. Nr. 68).

[10] Auch hier ist Schindlers Aussage nicht zutreffend, vgl. Max Unger, *Beethovens letzte Briefe und Unterschriften*, S. 153 ff.

[11] s. hierzu Nr. 70, Anm. 1; A.M. Schlesingers Antwort vom 21. 4. in Unger V, S. 37.

[12] Johann Andreas Streicher (1761–1833), Klavierbauer und -händler, verheiratet mit Nanette Stein (s. Nr. 35, Anm. 9).

[13] Anton Diabelli. (1781–1858), Gitarrist und Komponist, begann um 1815 als Praktikant im Verlag S. A. Steiner und wurde 1818 Compagnon von P. Cappi. 1824 verkaufte Cappi seine Geschäftsanteile an Anton Spina, der ab 1. 6. 1824 die kaufmännische Leitung des Verlags, nun Diabelli & Comp. genannt, innehatte. Diabellis Kontakt mit Beethoven geht wohl in das Jahr 1815 zurück, vgl. A. Weinmann, *Verlagsverzeichnis*, S. IV.

VERZEICHNIS DER ZITIERTEN LITERATUR
UND DER SIGEL

AfMw · Archiv für Musikwissenschaft, 1. 1918–8. 1926; 9. 1952 ff.

Albrecht, Otto Erich · *Beethoven Autographs in the United States,* Beiträge zur Beethoven-Bibliographie. Studien und Materialien zum Werkverzeichnis von Kinsky-Halm, hrsg. v. Kurt Dorfmüller, München 1978, S. 1–11.

And · *The Letters of Beethoven,* collected, translated and edited with an Introduction, Appendixes, Notes and Indexes by Emily Anderson, 3 Bde, London 1961.

Baensch, Otto · *Zur neunten Sinfonie,* NBJ 2 (1925), S. 137–66.

Beck, Dagmar, Herre, Grita · *Anton Schindlers fingierte Eintragungen in den Konversationsheften,* Zu Beethoven [1], hrsg. v. Harry Goldschmidt, Berlin 1979, S. 11–89.

Bekker, Paul · *Beethoven,* Berlin u. Leipzig 1911 (Ausgabe mit Bildteil).

Biographie Universelle · Biographie Universelle Ancienne et Moderne, Nouvelle Edition, publiée sous la direction de M. Michaud, Paris 1854.

BJ · Beethoven-Jahrbuch, Bd. 1–10, Bonn 1954–83.

BKh · *Ludwig van Beethovens Konversationshefte,* hrsg. im Auftrag der Deutschen Staatsbibliothek v. Karl-Heinz Köhler, Grita Herre u. Dagmar Beck, Bd. 1–8, Leipzig 1968–83.

Bory, Robert · *Ludwig van Beethoven. Sein Leben und sein Werk in Bildern,* Zürich 1960.

Brandenburg, Sieghard · (Hrsg.), *Ludwig van Beethoven. Sechs Bagatellen für Klavier op. 126,* Faksimile der Handschriften und der Originalausgabe, Teil 1: Autograph und Skizzen, Teil 2: Originalausgabe, Übertragung, Kommentar, Bonn 1984.

Brandenburg, Sieghard · *Die Quellen zur Entstehungsgeschichte von Beethovens Streichquartett Es-Dur op. 127,* BJ 10 (1978/81), S. 221–75.

Breuning, Gerhard von · *Aus dem Schwarzspanierhause. Erinnerungen an L. van Beethoven aus meiner Jugendzeit,* Wien 1874.

Cäcilia · Cäcilia, eine Zeitschrift für die musikalische Welt, herausgegeben von einem Vereine von Gelehrten, Kunstverständigen und Künstlern. (Redigiert von Gottfried Weber, ab Bd. 21, 1842, von Siegfried Wilhelm Dehn.) Bd. 1. 1824–27. 1848 (= Heft 1–108).

Czerny, Carl · *Erinnerungen aus meinem Leben,* hrsg. und mit Anmerkungen versehen von Walter Kolneder, Strasbourg/Baden-Baden 1968.

Deutsch, Otto Erich · *Beethovens gesammelte Werke. Des Meisters Plan und Haslingers Ausgabe,* ZfMw 13 (1930/31), S. 60–79.

Ebert, Alfred

Die ersten Aufführungen von Beethovens Es-Dur Quartett (op. 127) im Frühling 1825, Die Musik 9, Heft 13, S. 42−63 u. Heft 14, S. 90−106.

Friedlaender, Max

Ein ungedruckter Brief Beethoven's, AfMw 4 (1922), S. 359−63.

Ginsburg, Lev

Ludwig van Beethoven und Nikolai Galitzin, BJ 4 (1959/60), S. 59−71.

Herre, Grita

Aus der Arbeit an Beethovens Konversationsheften. Zu speziellen Untersuchungsergebnissen, Bericht über den Internationalen Beethoven-Kongress 10.−12. Dezember 1970 in Berlin, Berlin 1971, S. 489−94.

JAMS

Journal of the American Musicological Society, 1. 1948ff.

Journal général

Journal général d'annonces des oeuvres de musique, gravures, lithographies, publiés en France et à l'étranger, Paris, 1. 1825−3. 1827, Reprint: Genf (Minkoff) 1976/77.

Kagan, Susan

The Music of Archduke Rudolph, Beethoven's Patron, Pupil and Friend, Phil.Diss., New York 1983.

Kal

Beethovens sämtliche Briefe, hrsg. v. Alfred Christlieb Kalischer, 5 Bde, Berlin-Leipzig 1906−08.

Kalischer, Alfred C.

Beethoven und seine Zeitgenossen, 4 Bde, Berlin-Leipzig 1908−10.

Kast

Ludwig van Beethovens sämtliche Briefe, hrsg. v. Emerich Kastner, Leipzig 1910.

Kawa, Rainer

Georg Friedrich Rebmann (1768−1824). Studien zu Leben und Werk eines deutschen Jakobiners, Bonn 1980.

KH

Das Werk Beethovens. Thematisch-bibliographisches Verzeichnis seiner sämtlichen vollendeten Kompositionen von Georg Kinsky. Nach dem Tode des Verfassers abgeschlossen u. hrsg. v. Hans Halm, München-Duisburg 1955.

KK

Ludwig van Beethovens sämtliche Briefe, hrsg. v. Emerich Kastner, völlig umgearbeitete u. wesentlich vermehrte Neuausgabe von Julius Kapp, Leipzig 1923.

MfMG

Monatshefte für Musikgeschichte. Herausgegeben von der Gesellschaft für Musikforschung. Redigiert von Robert Eitner, Berlin 1. 1869−37. 1905.

MM

New Beethoven Letters, translated and annotated by Donald MacArdle and Ludwig Misch, University of Oklahoma Press 1957.

Musik und Dichtung

Musik und Dichtung, 50 Jahre Deutsche Urheberrechtsgesellschaft, München 1953.

Die Musik

Die Musik, 1. 1901/02−14. 1914/15; 15. 1922/23−35. 1942/43.

NBJ

Neues Beethoven-Jahrbuch, begründet u. hrsg. v. Adolf Sandberger, 1. 1924−10. 1942.

Nohl I

Briefe Beethovens, hrsg. v. Ludwig Nohl, Stuttgart 1865.

Nohl II

Neue Briefe Beethovens, hrsg. v. Ludwig Nohl, Stuttgart 1867.

Nohl, Ludwig

Musikalisches Skizzenbuch, München 1866.

NZfM   Neue Zeitschrift für Musik, 1. 1834–110. 1943; 111. 1950 ff.

Platen, Emil   *Eine Frühfassung zum ersten Satz des Streichquartetts op. 131 von Beethoven*, BJ 10 (1978/81), S. 277–304.

Prel   *Ludwig van Beethovens sämtliche Briefe und Aufzeichnungen*, hrsg. u. erläutert v. Fritz Prelinger, 5 Bde, Wien-Leipzig 1907–11.

Sartorius, Otto   *Der Weinbau in Nassau*, Berlin (Verlag des königl. statistischen Bureaus) 1871.

SBH   Hans Schmidt, *Die Beethovenhandschriften des Beethovenhauses in Bonn*, BJ 7 (1969/70), Bonn 1971, S. VII–XXIV, 1–443.

Schmidt-Görg, Joseph   *Beethoven. Die Geschichte seiner Familie*, München-Duisburg 1964.

Schünemann, Georg   *Czernys Erinnerungen an Beethoven*, NBJ 9 (1939), S. 47–74.

Smolle   Kurt Smolle, *Wohnstätten Ludwig van Beethovens von 1792 bis zu seinem Tod*, München-Duisburg 1970.

Solomon, Maynard   *Beethoven and his Nephew: A Reappraisal*, Beethoven Studies 2, hrsg. v. Alan Tyson, London 1977, S. 138–71.

Sonneck   Oscar G. Sonneck, *Beethoven Letters in America*, New York 1927.

Stadlen, Peter   *Beethoven und das Metronom*, Musik-Konzepte 8 (1979), S. 12–34.

Stadlen, Peter   *Zu Schindlers Fälschungen in Beethovens Konversationsheften*, Österreichische Musikzeitschrift 32 (1977), S. 246–52.

TDR   Alexander Wheelock Thayer, *Ludwig van Beethovens Leben*, neu bearbeitet u. ergänzt v. Hermann Deiters u. Hugo Riemann, 5 Bde, 3.–5. Auflage, Leipzig 1917–23.

Thayer   Alexander Wheelock Thayer, *Ludwig van Beethovens Leben*, übersetzt v. H. Deiters, 3 Bde, Berlin 1866–79.

Thieme-Becker   Allgemeines Lexikon der Bildenden Künstler von der Antike bis zur Gegenwart, begründet von Ulrich Thieme u. Felix Becker, 37 Bde, Leipzig 1907–50.

Tyson, Alan   *Maurice Schlesinger as a Publisher of Beethoven, 1822–1827*, Acta Musicologica 35 (1963), S. 182–91.

Tyson, Alan   *New Beethoven Letters and Documents*, Beethoven Studies 2, hrsg. v. Alan Tyson, London 1977, S. 20–32.

Tyson, Alan   *Notes on Five of Beethoven's Copyists*, JAMS 23 (1970), S. 439–71.

Tyson, Alan   *Prolegomena to a Future Edition of Beethoven's Letters*, Beethoven Studies 2, hrsg. v. Alan Tyson, London 1977, S. 1–19.

Unger, Max   *Beethoven über eine Gesamtausgabe seiner Werke*, Bonn 1920.

Unger, Max   *Beethovens letzte Briefe und Unterschriften*, Die Musik 34 (1942), S. 153–58.

Unger, Max   *Zu Beethovens Briefwechsel mit B. Schotts Söhnen in Mainz*, NBJ 3 (1927), S. 51–61.

Unger, Max	*Carl Czernys Erinnerungen an Beethoven*, NZfM 107 (1940), S. 606–08.
Unger, Max	*Beethovens Konversationshefte als biographische Quelle. Zu Georg Schünemanns Erstausgabe*, Die Musik 34 (1942), S. 377–86 u. 35 (1942), S. 37–47.
UngerV	Max Unger, *L. v. Beethoven und seine Verleger S.A. Steiner und Tobias Haslinger in Wien, Ad. Martin Schlesinger in Berlin*, Berlin u. Wien 1921.
Weber, Gottfried	*Über Tonmalerei*, Cäcilia 10 (1825), S. 125–72.
Wegeler-Ries	Franz Gerhard Wegeler, Ferdinand Ries, *Biographische Notizen über Ludwig van Beethoven*, Koblenz 1838, Anhang Bonn 1845; Nachdruck Hildesheim-New York (G. Olms) 1972.
Weinmann, Alexander	*Verlagsverzeichnis Peter Cappi und Cappi & Diabelli (1816–1824)*, Wien 1983.
ZfMw	Zeitschrift für Musikwissenschaft, 1. 1918/19 – 17. 1935.

Die in den Fußnoten des Vorworts genannte Literatur ist hier nicht nochmals aufgenommen worden.

REGISTER

Die Register verweisen grundsätzlich nur auf Briefnummern, nicht auf Seitenzahlen.

VERZEICHNIS DER BRIEFE NACH DEN ANFÄNGEN
IN ALPHABETISCHER ORDNUNG

KONKORDANZ DER AUSGABEN UND ERSTDRUCKE

Nr.	Nohl	Kal	Prel	KK	MM	And	Erstdrucke
[1]							
2			1285	1191	383	1270	TDR V, S. 102
3							TDR V, S. 106
4							TDR V, S. 106
5							TDR V, S. 107
6							TDR V, S. 107
7a	II S.246*	995a	1169	1206		1291	
7b	II 269*	995	814	1205		1290	
[8]							
9	II 270*	1016	818	1225		1299	
10							TDR V, S. 110
[11]							
[12]							
13	I 314^u	1029	834	1239		1308	Cäcilia 5
	II 272						(1827), S. 311
14							19th Century Music
							8(1984), S. 183f.
15	I 318^u	1041	843	1253		1321	Cäcilia 25
	II 275						(1846),S.27^u
16*							
[17]							
18	II 276*	1042	845	1257		1322	
19	I 321^u	1045	850	1260		1325	Cäcilia 25
	II 279						(1846), S. 2
20	II S.257*	V S.85					
21	II 271*	1017		1228		1357	
23	II 281	1053	856	1269		1345	Die Musik, 6,
							Heft 3, 1907
24	II 282*	1054	857	1271		1346	
25	II S.266*	V S.105					
26	II 284*	1056	858	1273		1349	
[27]							
[28]							
29	II 285*	1057	861	1277		1354	
30		1135*	1289	1356		1355	

Nr.	Nohl	Kal	Prel	KK	MM	And	Erstdrucke
31	II 287^{u}*	1066	871	1287		1368	
[32]							
[33]							
[34]							
35				1323	412	1407	MfMg 31 (1899), S. 135
36	II 291*	1104	910	1328		1411	
[37]							
38	II 294*	1122	932	1361		1452	
[39]							
40	II 295*	1134	937	1376		1466	
[41]							
42						1472	Musik und Dichtung, 1953
[43]							
44	II 298*	1142	953	1387		1485	
[45]							
[46]							
[47]							
48	II 299*	1156	958	1394		1491	
[49]							
[50]							
51	II 300*	1157	960	1395		1492	
52	II 301*	1158	961	1396		1494	
[53]							
54*							
55		519	1305	1404	449	1498	TDR V, S. 317
56*							
57	II 310*	1186	980	1431		1531	
[58]							
59	II 311*	1193	983	1439		1535	
60*							
61	II 313*	1195	990	1446		1544	
62							TDR V, S. 396
63	II 314	1197	991	1447		1545	Nohl, Musik. Skizzenbuch, S. 242
64	II 315	1198	994	1451		1548	Nohl, Musik. Skizzenbuch, S. 250
[65]							
66	II 317	1204	999	1457		1553	Nohl, Musik. Skizzenbuch, S. 268
67	II 319	1207	1003	1461		1558	Nohl, Musik. Skizzenbuch, S. 269
68		V S.302					Nohl, Musik. Skizzenbuch, S. 271
69	II 321	1212	1006	1466		1561	Nohl, Musik. Skizzenbuch, S. 270

Nr.	Nohl	Kal	Prel	KK	MM	And	Erstdrucke
70		1220*	1310	1472		J 9	
71*							
72		V S.312					Cäcilia 6 (1827), S. 309–12

* = Erstdruck; ᵘ = unvollständig
Die Zahlenangaben beziehen sich, wenn der Zusatz „S." fehlt, auf Briefnummern.

VERZEICHNIS BEI B. SCHOTT'S SÖHNEN ERSCHIENENEN ORIGINALAUSGABEN

op. 121b
(als op. 121) Juli 1825
Partitur, Stimmen und Klavierauszug
(PN 2279)

op. 122
Juli 1825
Partitur, Stimmen und Klavierauszug
(PN 2280)

op. 123
März/April 1827: Partitur
(PN 2346)
Stimmen (PN 2534)
Klavierauszug v. Ch.G. Rinck (PN
2582)

op. 124
Dezember 1825
Partitur und Stimmen (PN 2262)
Klavierauszüge v. C. Czerny:
zweihändig: Juli 1825 (PN 2314)
vierhändig: April 1825 (PN 2270)

op. 125
Ende August 1826
Partitur (PN 2322, ursprünglich 2321)
Stimmen (PN 2321)
Klavierauszug letzter Satz (PN 2539)

op. 126
Ostern 1825 (PN 2281)

op. 127
Partitur: Juni 1826 (PN 2426)
Stimmen: Mainzer Ausgabe, März 1826
(PN 2351)
Pariser Ausgabe, März 1826 (o.PN)
Klavierauszug v. Chr. Rummel,
vierhändig, Juni 1826 (PN 2475)

op. 128
Frühjahr 1825 (PN 2269)

op. 131
Juni 1827
Partitur (PN 2692)
Stimmen: Mainzer Ausgabe (PN 2628)
Pariser Ausgabe (o.PN)

REGISTER DER ERWÄHNTEN KOMPOSITIONEN BEETHOVENS

VERZEICHNIS DER ABBILDUNGEN

SACH- UND ORTSREGISTER

Die Begriffe des Sachregisters schließen Synonyme ein. Unberücksichtigt bleiben Namen und Orte der Kopfzeilen sowie des Datums und des Quellenkopfs.

PERSONENREGISTER

Die halbfett gedruckten Zahlen beziehen sich auf Briefe, in deren Kommentar die betreffenden Personen näher erläutert sind. Die im Vorwort genannten Personen sowie die Autoren der zitierten Literatur sind nicht aufgenommen.